仕事のスピード・質が
劇的に上がる

すごいメモ。

かんき出版

はじめに

メモの取り方を変えたら、人生が前向きに変わった。それ、あなたにもきっと起こることです。

「メモは取るけど、結局、ほとんど見返さない」

「メモは新入社員のやる仕事。自分は若手じゃないから恥ずかしい」

「メモなんか取るより、積極的に発言したほうがいい」


メモについて話してくださいと言うと、だいたいこういう答えが返ってきます。

メモを取る場面は仕事や暮らしの中で頻繁にあるのですが、「役立ったなあ……」という記憶がないのが現実。だから普段はメモを意識することもないし、メモの効能なんて、積極的に考えないわけです。

でも実は、**メモはいい仕事をするうえで大切な5つのポイントに関わっています。**

その5つとは、整理、設定、考察、発見、指示、のこと。

ではこの5つの大切なポイントが、もっと楽に、もっと面白くなって、しかも効果的になるとすればどうでしょう?

まず、あなたが仕事をしている情景を思い出してみてください。きっと、会議の情報をノートに書き留めていたり、打ち合わせの内容をホワイトボードに書いていたり、会議資料の内容をまとめていたり、企画書の下書きを作っていたり、新商品の打ち出し方をいろいろとアイデア出ししていたり……。

そんなイメージが思い浮かぶのではないでしょうか。そして、その仕事の要所要所で、実は、ほとんどの人が「メモ」をしていると思います。

「メモ」は、いわゆる情報を書き留めるだけではなく、**頭を整理したり、アイデアを出したり、資料の下書きをつくったり……と、仕事の中の大切な行動に関係しています。**

だからこそ、そのメモの取り方を、もっと効率的に、そして効果的に変えることができれば、**仕事のスピードや質は、面白いように向上していく**わけです。

実際に、私は、広告代理店でその変化を体験しました。

広告代理店は情報を扱うプロ。しかも、多数の案件を同時にこなすので、多くの情報を

① **整理**（仕事の条件や要点を整理する）

② **設定**（課題を見つける。目的を決める）

③ **考察**（何が有効な解決策か考える）

④ **発見**（新しいアイデアへたどり着く）

⑤ **指示**（部下やチームに役割を伝える）

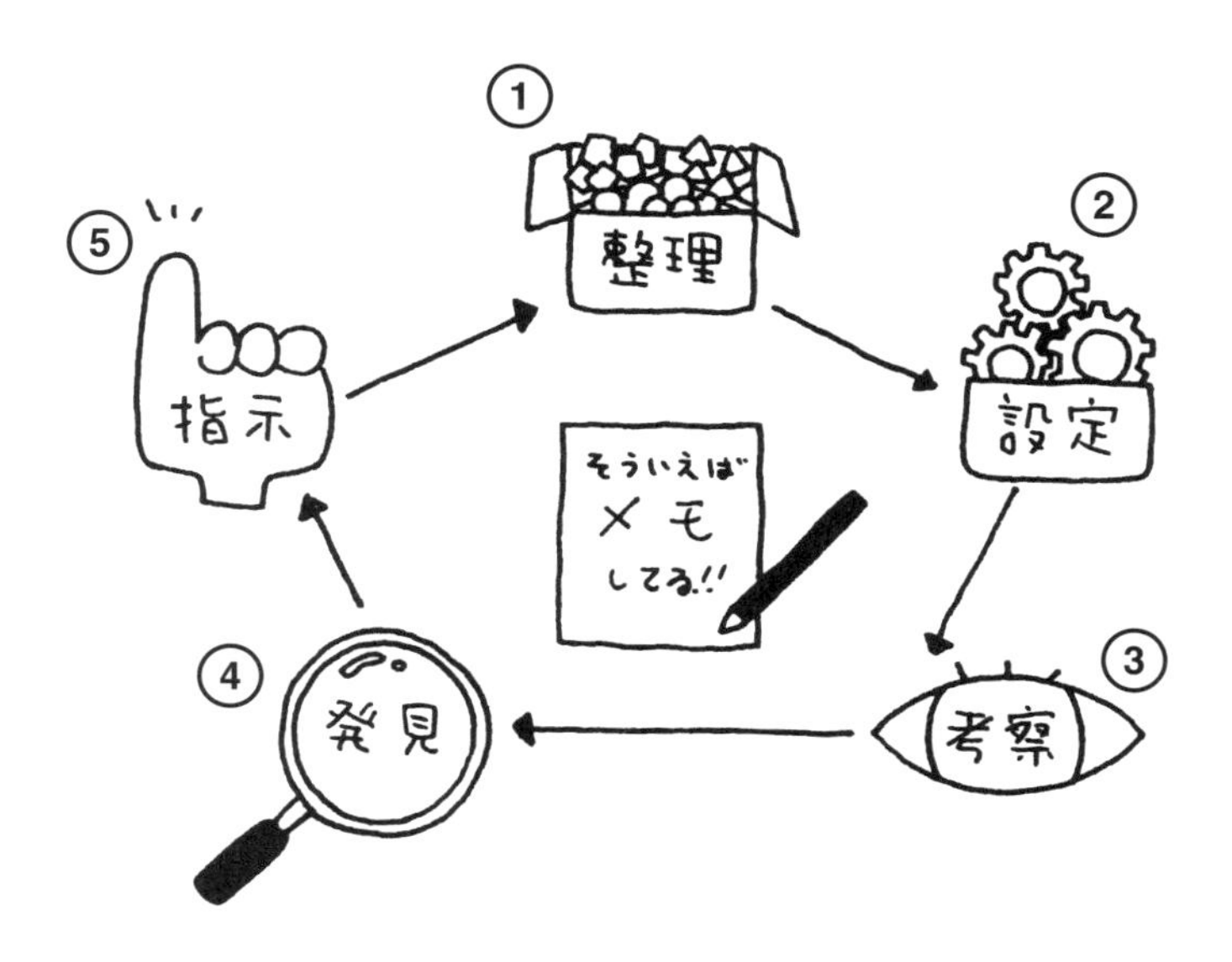

一度に扱います。

でも私は入社して最初の数年間、先輩や同期はもちろん、後輩たちと比較しても情報の扱い方がものすごく下手でした。

それなのに、メモの取り方を変えてからは、扱える仕事の量が格段に増え、仕事の質も高まりました。もちろん評価も上がり、結果的に独立し、会社を立ち上げ、収入も増えたというわけです。

そのきっかけが、メモ。正直、**今の私は、メモでできていると言っても過言ではありません。**

一枚のメモで、人生が変わった

少し、私自身についてお話ししましょう。

私は、新卒で広告代理店に入社し、コピーライターになりました。当時の私は、初めての仕事に精一杯頑張っていましたが、現実は、新入社員の中でも群を抜いてダメなコピーライターでした。

仕事が圧倒的に遅いために常に仕事に追われ、会議では一切発言もできず、「何もできない」と怒られ、何をやればいいかもわからず、もちろん、新しい発想なんてかけらも出てこない有り様。

いま思えば、驚くほどに平凡で、それでいてプライドは高く、扱いづらい。とにかく使えない社会人だったと思います。

それでも、2年ほどはがむしゃらに踏ん張りましたが、一向に仕事ができる感じがしませんでした。周りからの評価も下がりっぱなしで、自信をなくし、日々「辞めたほうがいいかも」と思いながら過ごしていました。

でもある日、**会議でたまたま配られた書類を見て、すべてが変わった**のです。

それは、誰かがメモした紙をただコピーしただけのものでした。

当時は「メモなんて……」とバカにしていましたが、少し読んでみると、驚くほどにわかりやすかったのです。

そこには**「↓」や「☆」など、いろいろな記号が書いてあって、その先に、大きな「○」で、いくつかの「ヒント」や「答え」が書かれていました。**とても汚い字なのに、すごく明快。当時、まったく仕事ができなかった自分でも、何を、どう考えるべきかが、スッと理解できました。

そのときの私は、訳がわからないながらも、何かのヒントを見たような気がしました。そしてそのまま、食い入るようにそのメモを見ていたのを覚えています。きっと周りからは気持ち悪く見えたでしょうね（笑）。

正直なところ、当時の私は、メモは「上司に取らされるもの」であって、自分が積極的に「取るもの」でもないし、**どこか「ダサい」という印象を持っていました。**

でも、その一枚のメモを見た瞬間から、それが変わった。

「これは試してみよう！」と思ったのを今でも覚えています。その瞬間から、私は、メモというものを違う角度で見るようになったのです。

「メモを取る」から「メモを使う」へ

メモは、その場で取って終わり。後で見返すことなんてしない。私は学生時代からずっとそうしてきました。

でもそのときに配られたメモは、考えを人に伝えるために使われていました。「**メモは、取って終わりじゃなく、考えるきっかけになるのか……**」。そう気づいた瞬間から、私の仕事は、大きく変わり始めたのです。

それ以来、20年以上、私は試行錯誤を重ねながら、**メモの取り方や、メモの使い方、さらに、メモを使った発想法や伝え方まで、いろんなメソッドを生み出し、それを実践してきました。**

その後、私は、2006年に広告代理店から独立し、現在は社内外の数十人のメンバーに指示を出しながら、常に20ほどの案件を同時に動かしています。そして、その仕事のすべてで新しい情報に接し、理解して、考えて、提案する……。そんな毎日を繰り返しています。

まさにものすごいスピードで情報が目の前を通過していく。そんな情報の渦（うず）の中で、会議のタイムスケジュールに合わせて、それぞれに必要な情報を取り出し、以前の会議の内容を思い返し、それをベースに会議を進行し、判断して、アイデアを発想し、スタッフに指示して、仕事を動かさねばなりません。

そもそも仕事が遅く、情報の処理がうまくできなかった自分が、それをこなせている理由は何か？

そう、もちろん、メモの使い方です。**メモをうまく使えれば、誰もが、今よりもずっとたくさんの仕事を、もっと精度高く扱えるはずだと断言できます。**

メモ迷子になる人たち

でも、メモは大切なものとして語られません。

それはきっと、ほとんどの人に、メモは、邪魔くさい！　役に立たない！　逆に混乱した！　なんて経験があるからだと思います。

実は、私もずっとそうでした。

何の技術もなく取られたメモは、時間がたつと、自分で見ても意味がわからないものになります。そのうえ、内容を思い出すために時間を奪われ、仕事が遅れ、ストレスになる。「だったらメモなんか見ないよ！」。それが本音だと思います。でも、なぜそうなるのか？

実は、メモが腐るからです。

メモには鮮度があり、フルーツや魚のように、時間がたつと腐るのです。新聞記者という職業はメモをたくさん取りますが、メモを取った後、時間を空けずに見返して記事を書きます。つまり、鮮度抜群のメモを読むわけです。

そのときのメモには、自分がメモを取ったときの「記憶」が残っています。だから、多少、文字が読めなくても、どういう意図で書いたか、どういう内容だったかを、記憶が補ってくれる。つまり、**「記憶＋メモ」**で、十分に役立つ情報になるわけです。

ところが、時間がたつと、書いたときの記憶が薄れます。だからメモを見ても、どういう意図で書いたかわからなくなるのです。

これまで、メモを見返して「わからない！」と思った経験のある人は少し思い出してください。きっと、そのときは、メモを書いてから時間がたっていたと思います。

つまり、そのメモはもう腐っていたのです。

腐った情報なので読み取れなくてもしかたがないというわけですね。

時間がたつとメモは腐る！

どんなメモでも時間がたつと腐ります。ほとんどの人が書いたときの記憶を忘れてしまうからです。いかにすごい記憶力の持ち主でも、1週間前のメモを見て「あれ？　何を考えていたんだっけ」と迷うことがあるでしょう。

私はこれを「メモ迷子」と呼んでいます。昨日や一昨日の食事がなかなか思い出せないように、たった数日でも記憶は曖昧になる。たった数時間でも記憶は薄れていくのです。

だからこそ、**記憶力に頼らず、時間がたっても腐らないメモを書く技術**が必要です。そう、**いつでも、メモを見るだけでそのときの発言やポイントが思い出せて、何を考えるべきかが、すぐにわかるメモ。未来の自分に、考えるきっかけを残すメモ**を書くべきなのです。

未来メモという考え方

いま聞いたこと、見たことを残す「過去メモ」から、**未来の自分に行動のきっかけを生む「未来メモ」へ。メモの取り方と使い方を変えることが、本書でお話しすることのベースです。**

みなさんが考える一般的な「メモ」は「過去メモ」です。つまり、いま聞いている情報や考えを書き残すもの。決して未来の自分へ向けたメッセージではないでしょう。でも、その「過去メモ」から「未来メモ」への転換こそが、あなたのビジネスを大きく変えるきっかけでもあるのです。

ところで、私はこれまでに、いろんな人と出会い、様々な仕事のやり方を見ているうちに、仕事を滞らせている2つのことに気づきました。

一つは**「情報過多」**。仕事量が増えるにつれて、多くの人たちが、情報の多さに混乱し、何を考えていいのかわからなくなっていました。

そして、もう一つは**「頭の切り替えの難しさ」**。たくさんの仕事を抱える時代、ある仕事を終えてから、次の仕事へと切り替えるまでに頭が整理できず、すごく時間がかかっていました。

実は、この2つの滞りをカイゼンできる方法こそが「未来メモ」なのです。

未来メモなら、**見るだけで瞬時に考えるポイントがわかり、即座にやるべきことに着手できるため、飛躍的に仕事が速くなります。**そのうえ、考えるべき目的が明確になるので、面白い企画やアイデアを思い通りに発想できるようになるのです。

でも、所詮、メモはメモ。できるだけ、時間も労力もかけずにメモするほうがいいですよね。だからこの本でも、難しいルールや理解しにくい理論は一切なし。誰でも実践できて、明日からすぐに仕事に使えるメモ術を選び抜いて書きました。私が大切にしている「未来メモ」、珠玉の14メソッドです。

ところでここに登場する「未来メモ」はすべて、私がコピーライターとして本当に使っているメモ術です。つまりすべてが実践的。しかも誰でも続けられるメソッドになっています。毎日、1つずつ実践すれば、たった2週間でメモのプロになれる計算です。

あなたも、この本を読み進めていただき、これからの時代に大切なメモのプロになり、仕事のスピードと質を上げてください。

さらにこの本には、作家の**伊坂幸太郎（いさかこうたろう）さんから盗んだメモ術も掲載しています。**

果たして、伊坂さんは、どんな風にメモを取り、どんな風に仕事に活用しているのか……、これは必見です。

素早く情報を整理して、面白い発想に行き着くために。
新しい発想や面白い企画をザクザク生み出すために。
常に重要なポイントを理解し、相手に的確に伝えるために。
そろそろ、「未来メモ」の世界に、あなたをお連れしましょう。

未来メモのすごい効果

1 仕事が楽しくなる！

「メモは面倒なだけで使えない」から

▶**「楽しく考えるきっかけができる」へ**

2 仕事のスピードが速くなる！

「情報が多くて混乱する」から

▶**「頭が整理されてすぐに仕事を始められる」へ**

3 過去のアイデアを再活用できる

「過去のアイデアが無駄になる」から

▶**「忘れていた昔のアイデアがよみがえる」へ**

4 アイデアがスラスラ生まれる！

「アイデアが考えられない」から

▶「アイデアを考える方法がわかる」へ

5 仕事ができる人になる！

「何をやればいいかわからない」から

▶「課題の設定や解決がパッとできる」へ

6 伝えたいことが人に伝わる！

「ごちゃごちゃして伝わらない」から

▶「大切なことがみんなに伝わる」へ

7 リーダーシップがとれるようになる！

「チームをやる気にさせられない」から

▶「チームに楽しく仕事をさせられる」へ

すごいメモ。 もくじ

はじめに 3

序章 未来メモをはじめよう

「記憶に頼らない」メモをとろう 28

忘れている自分に、教えるメモ 29／脳からノートへ 30／
忘れ去ったアイデアをよみがえらせる方法 32／
「情報の再会」から、130万枚のヒット商品が生まれた 35

すごい仕事のための「3つの未来メモ」 38

未来メモ1「まとメモ」。情報をシンプルにまとめて、仕事を効率化するメソッド 39

未来メモ2「つくメモ」。メモを使って、アイデアをざくざく生むメソッド 40
未来メモ3「つたメモ」。メモを使って、大切なことを伝えるメソッド 42
ちょっとブレイク1 「メモ散歩」メモを持って街を歩こう。 44

第1章　まとメモ

情報は、まとまると「武器」。まとめないと「ゴミ」 46
まとメモ1　3つの「〇」 47
やることは、「〇」を付けるだけ 47 ／ 必ず忘れる、という前提 50 ／
あのコピーも、ひとつの「〇」から生まれた 54

まとメモ2　矢印「←」　58

「混乱」の反対にあるのが「秩序」　59／道標があれば、迷わない　64／「←」は、気づきを生む　66　／理解は後。まずは気持ちよく「←」でつなげばいい。　68

まとメモ3　記号　70

記号は、素早く、カンタンに、多くを語る　71　／　記号を使うと、頭が整理される　75

まとメモ4　吹き出し　80

3つのポイントで、レシピを残そう　82　／小さな言葉で、大きな理解を　84

ちょっとブレイク2　「ワンノートのススメ」メモ帳を統一してみよう。　88

まとメモ5　デジメモ検索　89
検索こそが、最大のメリット　90／デジメモ検索しやすくする方法とは？　92／超カンタンなワードで、分類しよう　94／さらに、目立たせるために「★」　97

第2章　つくメモ

カタイ仕事にこそ、クリエイティブを　100

つくメモ1　ハードルメモ　103
ハードルメモが、目的ときっかけを生む　106／3秒で書けるハードルメモ　108／ハードル化されると、行動しやすくなる　111／合言葉で考えよう！　113／言葉ひとつで会議を動かせ！　116／

ちょっとブレイク3　「一会議十メモ」頑張りすぎないメモの取り方。　119

つくメモ2　マンガメモ　120

脳が歓ぶメモを書く　121／名前とセリフでメモしよう　124／
棒人間だけでも、頭は整理できる！　128／
誰でもイラストがうまく描ける4ステップをご紹介！　131／
マンガメモが世の中を動かした！　134

つくメモ3　ブラック三角メモ　137

隠れニーズを探せ　139／隠れニーズを見つける、最強の武器　141／
不満を書けば、アイデアが見つかる　144

つくメモ4　ホワイト三角メモ　149

たくさん出して選べば、いいアイデアになる　150／1時間に100個のアイデアを生もう　152／テーマから離れず、今の流行を取り込む　157／アイデアを出すのは楽しいこと。苦しいことじゃない　162

つくメモ5　つなぎメモ　164

わからないときは、まず「つなぐ」　166／アイデアの断片をつなぎ合わせて、ストーリーにする　169

ちょっとブレイク4　「メモで出世する方法①」飲み会スリーメモ。　173

つくメモ6　あまのじゃくメモ　174
未来は「逆」のほうにある　178／いまやってないから、やる　179／絶対やってはいけないことの、逆　182

第3章　つたメモ

伝わるためには、技術がいる　188
つたメモ1　『見出し』メモ　190
見出しには、カンタンな書き方がある　191／見出しを、もっと、感動的に！　194

つたメモ2　ズメモ　198

「大小ズ」。大きさがわかれば、大事さがわかる　200／
「設計ズ」。複雑なものを直感的に説明できる　204／
「関係ズ」。関係を線と太さでイメージ化　208

つたメモ3　スピーチメモ　216

人が興味を持つときの言葉、「なぜ？」　217／数字があると部数が伸びる　220／
書籍タイトルを並べてスピーチする　221／1行タイトルがあれば、話しやすい　225／
未来メモは、すごいメモ　228

ちょっとブレイク5　「メモで出世する方法②」名刺メモしよう。　230

第4章　たつメモ

ベストセラー作家は、メモに何を書いているのか？　232
アイデアは、組み合わせでつくる　233 ／ まず頭の中にある場面をメモする　235
メモしていくと、書きたい場面が整理される　238 ／
メモしてから歩くと、脳が活性化する　242
「タイトル」を決めてからでないと、物語は書けない　244 ／
「文字で書く」のか「絵で描く」のか　246 ／ 「伊坂幸太郎」というレンジは広い　249

おわりに　250

ブックデザイン：宮内賢治
本文イラスト：加納徳博
ＤＴＰ：ニッタプリントサービス

序章

未来メモをはじめよう

メモの取り方を変えるだけで、

仕事がはかどる！　アイデアが生まれる！

魔法のようなメモ術の世界へようこそ。

「記憶に頼らない」メモをとろう

まず、あなたに質問です。

「メモは何のために取りますか？」


こう質問すると、ほとんどの人が「聞いたことを忘れないため」と回答します。

たしかに、普通はそのためにメモを取りますよね。でも、それだけでは、メモに秘められた効果のほとんどを使っていないことになります。

では、メモの本当の効果とは何か？　それは**「考えるきっかけ」をつくること**です。

「はじめに」でも触れたように、技術を使わず、結果や情報だけを書き残したメモは、時間がたつと腐り、何が書いてあるか理解できないメモになってしまいます。

だからこそ、時間がたっても腐らないメモになるように、**あらかじめ「後で見返す自分**

がわかるように」書いておくべきなのです。

そのためにも、まずはメモを見返している自分を想像し、「未来の自分」に教えるようにメモを取ってください。たとえば、「どこから考え始めるべきか？」「どこがポイントか？」を書き残すなど、**どうすれば未来の自分に伝わるかを考えることが大切**です。

このような**「考えるとっかかり」**が書かれたメモは、仕事の効率を上げるだけではなく、新しいアイデアも生み出しやすくなるのです。

ではここから、実際にどうやってメモを取ればいいのか、少しずつ丁寧に書き進めたいと思います。

忘れている自分に、教えるメモ

未来の自分に「考えるとっかかり」を残すためにどうすればいいか？

その基本は、未来の自分が「今」のことをほとんど覚えていない、と考えることです。

いやいや、少しは覚えているのでは？　なんて思ってはいけません。「すごくいいことを思いついたぞ」とか「いい話を聞いたなあ」と思っても、次の日には、いや、たった数分後でも忘れていることは多いはず。だからまず、**未来の自分をまったく信用しないこと。そこから、すべては始まります。**

そして、「まったく何も覚えていない未来の自分」が読み返すことを想定して、メモで何を書けばいいか、何を残せばいいかを考えるのです。でも、やることはいたってシンプル。ただ、**未来の自分を想像するだけでいい**のです。

「こう書いておけばわかるだろう」とか「こうして書けば、自分は面白いと思うだろう」とか「これでは未来の自分に伝わらないな」とか。いろいろ推測して書くのは、ゲームのようで、意外と楽しくなってきます。

しかも、思ったよりも簡単なのにみるみる効果が出るので、苦にならないのです。

脳からノートへ

そもそも、あまり意識されていませんが、記憶力は簡単に拡張できる能力です。人間は、足で走るよりも、クルマで走るほうが速いですし、ジャンプするのも、トランポリンを使ったほうが高く跳べる。人間は、道具を使うと能力を拡張できますよね。

それと同じことが、記憶力にも当てはまります。つまり、道具を使って記憶力を向上すれば、自分の記憶力のなさに悩むこともないし、ガジェット（最新の機器）やアプリを使えば、さらにすごい記憶力や発想力を得ることもできるのです。

今や、人が持て余すほど膨大な情報を扱わないといけない時代。だからこそ脳だけに頼らず、**ノートにメモして脳を動かすきっかけにする。**コンピューター内では収まらない量の情報を、外部のハードディスクに記憶して、必要なときに取り出して使うように、**脳の外部に、いつでも取り出せる情報を蓄積しておく。それが「未来メモ」**。未来メモは情報が溢れるこれからの時代にこそ必要な技術なのです。


この「未来メモ」の技術を使えば、いろんな情報が、混乱せずに、スムーズに取り出せるようになります。しかも、仕事の効率が上がり、アイデアもスムーズに出てくるようになる。驚くことに、忘れ去っていた過去のアイデアすらも、再度復活して活用できるようになるのです。

忘れ去ったアイデアをよみがえらせる方法

それでは手始めに、過去のアイデアを復活させて活用するためのメモ術をお話ししましょう。

第3章「つたメモ1」で紹介する「**メモ年月日**」です。

方法は簡単。**ただ、生年月日のように、メモが生まれた日付を書いておくだけ**。

「それだけ……?」と思われた方も多いですよね。そうなんです。たった、それだけ。

実は、メモを取り始めた当初は、私も日付なんかには意味がないと思っていました。でも、ただの整理のために続けていたら、意外にも**過去に考えたアイデアが、未来にどんどん復活するようになった**。とても簡単なのに、実は、効果抜群なのです。

では「メモ年月日」を使うことで、どんな効果が生まれるかを、お話ししましょう。

次ページに、私のメモ帳があります。メモの表紙に書かれている「メモ年月日」を見てください。これでメモした時期、月日と季節がわかります。メモ帳の中にも、それぞれのメモごとに、タイトルとして「メモ年月日」を書いています。

とても地味なことですが、**これを続けていくと情報との再会が起こる**のです。「情報との再会」。初めての言葉だと思いますが、それこそが、過去に考えたアイデアを無駄にせず、未来に新しいアイデアを生み出すための特効薬なのです。

たとえば、仕事をしているとアイデアに困ることがありますよね？　なかなか閃（ひらめ）かないとか、面白い情報に出会えないとか……。そこで**効果的なのが、過去のメモを見返すこと**。過去に「面白い！」と思ってメモした情報やアイデアを探るわけです。

でも、過去のメモを見返すといっても、なかなかピッタリのアイデアには出会えないし、時間だけが過ぎて、結局無駄だったということもしばしば起こります。そこで**「情報との再会」の精度を上げるために、「メモ年月日」を使い、過去の「同じ日付」前後のメモを見る**のです。

そうすることで、過去の自分が、今と同じ月、同じ季節、同じ気温、同じ行事、同じ気分のときに書いた情報に出会

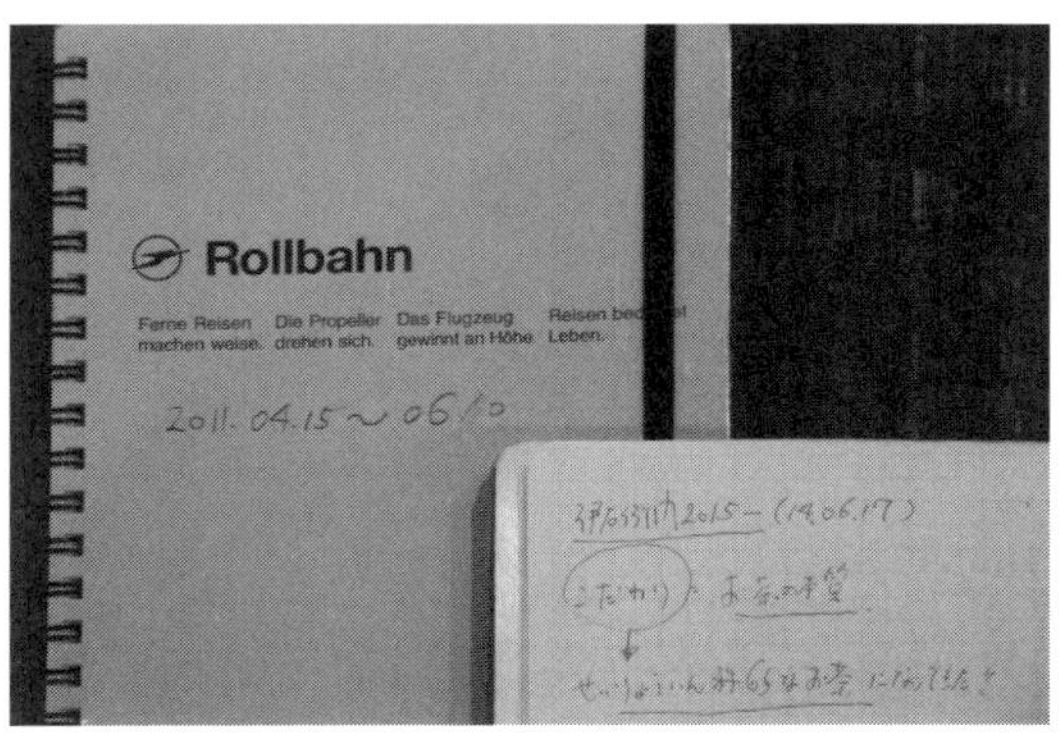

えます。「メモ年月日」で時間を遡れば、**過去の自分の感性と、時間を経て出会える**のです。

もちろん、過去のメモを見返すだけでも、十分に効果はあります。ただ、より「再会の精度」を上げるためには、**似ている感性で書かれたメモを見返すことが大事**。そうすることで、過去の自分の感性に再び出会い、新しい感性を刺激することができるのです。

今は思いついていないことも、昔には考えていたかもしれない。昔のメモに出会うことで、いま通用するアイデアが生まれるきっかけになるのです。

この「メモ年月日」はとても簡単な方法ですが、これまでに何度も成功した経験があります。ひとつお話ししましょう。

過去のメモと再会しよう

「情報の再会」から、130万枚のヒット商品が生まれた

私は昔、次のようなメモを書いたことがありました。

焼かない。焼けない。女子が大好きな言葉。

これは、7年ほど前に、テレビCMなどで**「今年は焼かない」というセリフ**をたくさん聞いたときにメモしたものです。「メモ年月日」は2009年の5月10日でした。

そして、その翌年の冬、ある広告制作の依頼が来ました。商品は夏にイオンから発売される機能性Tシャツ。機能の中でも「UVカット機能」は強みでしたが、他社もいろいろな機能を打ち出していたので、そのままでは情報が埋没してしまう懸念がありました。

季節は冬。私は、夏のイメージがなかなか思いつかず、悪戦苦闘した後、困り果ててメモを見返しました。探した日付は、そのTシャツが発売される予定の5月のもの。そして、そのメモの中で**「焼かない」という言葉と再会したのです。**

「焼かない」という言葉は、夏前に化粧品業界がこぞって使うもの。その言葉を使うことで、他の商品の広告との相乗効果が生まれ、この「焼かないＴシャツ」は、夏の流行のひとつになりました。雑誌にも「焼かない商品」として取り上げられ、その年、その**ＵＶ対策Ｔシャツ**は１３０万枚を売り上げ、大ヒット商品となったのです。

今年の夏は、
焼かないＴシャツ。
実は、Ｔシャツの下も、焼けています。
さあ、今年の夏は見えている肌だけじゃなく、
ＴシャツのＴもＵＶケア。
あなたと家族の大切な肌は、あなたしか守れません。

ＵＶ対策Ｔシャツ

この他にも、メモを見返すことで新しいアイデアが生まれた事例はたくさんあります。そのどれもが、行き当たりばったりではなく、**メモ年月日という道標があったからこそ再会し、復活したアイデアばかり。**ピッタリな情報に再び出会えれば、面白いアイデアが生まれる可能性も上がるのです。

みなさんも経験されたことがあると思いますが、アイデアというものは、それがどれだけいいアイデアでも、使わなければすぐに忘れられ、永久に目に留まることもなく死んでいきます。

でも、その死んでいったアイデアの中には、すごいアイデアがあったかもしれないし、今の時代にならウケるアイデアがあるかもしれない。過去のアイデアを無駄にせず、未来のアイデアに変える。この**「メモ年月日」は「もったいない！」精神が生んだ、アイデアの「復活の呪文」なのです。**

これはまだ、「未来メモ」のほんの小さな効果にすぎません。これから次々に「すごいメモ」の力が登場します。もし可能なら、本を読むだけじゃなく、これからお話する内容の一つでもいいので、１週間、続けてみてください。それだけで仕事の効率や結果がいい方向へと変わると思います。

そして１年後には、大きな違いが生まれる。

１・01と０・99という〝微差〟も、それを365乗すると、大きな違いが生まれるように、ほんの少しのことでも、こつこつ続ければ、大きな成長につながるのです。

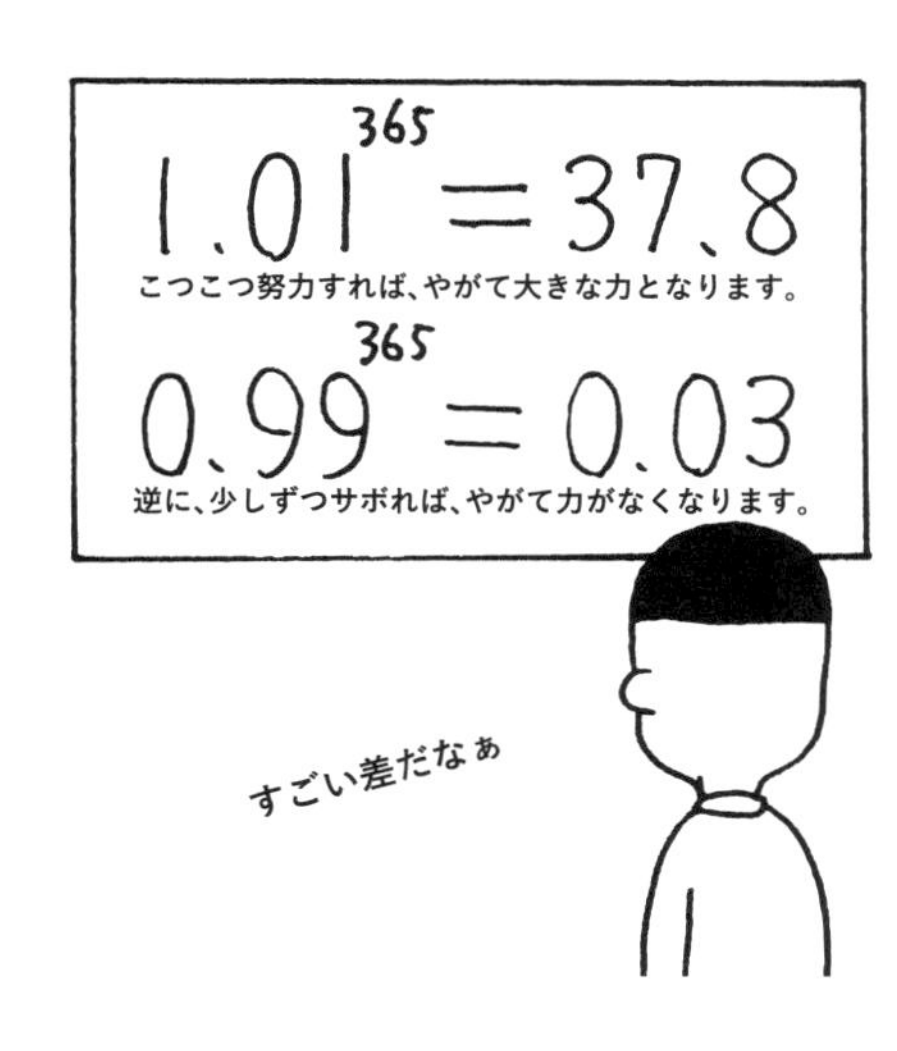

すごい仕事のための「3つの未来メモ」

では、そろそろ、未来メモの中身をお話ししていきましょう。まず、未来メモには、大きく分けて3つの種類があります。

1つめは「まとメモ」。
2つめは「つくメモ」。
3つめは「つたメモ」。

それぞれ、各章ごとに詳しくご紹介しますが、まずはダイジェストでお話ししましょう。

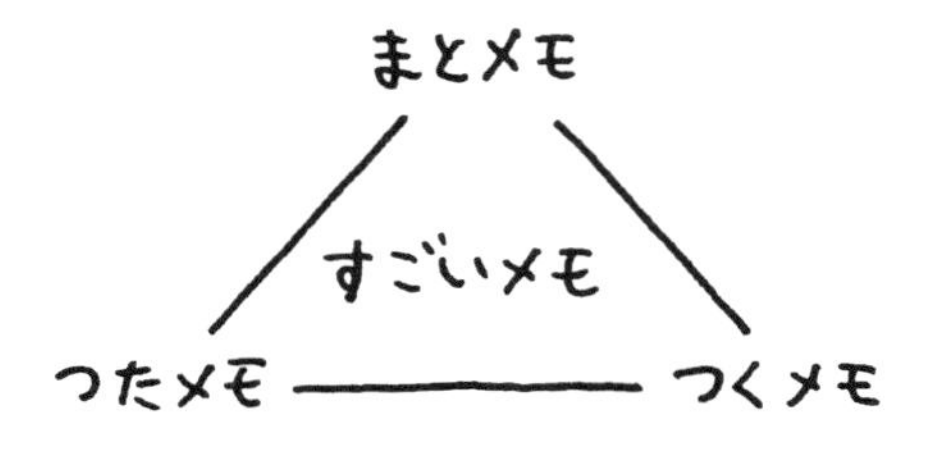

未来メモ1「まとメモ」。情報をシンプルにまとめて、仕事を効率化するメソッド

「まとメモ」とは、文字通り、メモを使って情報を「まとめる」メモ術。

放っておくと、ぐちゃぐちゃになる情報をわかりやすく整理したり、打ち合わせ中に出た大事な言葉や発見を使いやすくまとめる、左脳的なメモです。つまり、乱雑で使えない情報を、わかりやすく使える情報に変えるメモですね。簡単なメソッドを覚えるだけで、仕事が大きくはかどるようになります。

アイデアに関しての必読書と言われる『アイデアのつくり方』の中で筆者のジェームス・W・ヤングは、アイデアをつくるうえで最も重要な第一段階の作業として、**資料集め**

とその資料に手をかけて整理することの大切さを述べています。この「まとメモ」は彼の言うところの、第一段階のメソッド。**記号や吹き出しを加え、情報を「使える情報」として整理することで、仕事の効率を何倍にも引き上げ、アイデアをつくるベースも生み出せる。**まさに、ビジネスにすごい効果を生むスーパーメモ術なのです。

未来メモ2「つくメモ」。メモを使って、アイデアをざくざく生むメソッド

次に「つくメモ」です。これは、アイデアをつくるメモ術で、新しい発想を生み出すときや、ビジネスの打開策を考えるときなどに使います。

図や絵を多用することで、視覚的に右脳を刺激しながら、新しいアイデアを生み出すことができます。この「つくメモ」を覚えると、アイデアが驚くほど考えやすくなり、1時間で100個のアイデアをつくり出せることすらできるようになります。

前述の『アイデアのつくり方』では、**「アイデアとは既存の要素の新しい組み合わせ以外の何ものでもない」**と書かれていますが、メモを使ってその「新しい組み合わせ」を生

み出すのが「つくメモ」の役割。

「マンガ」を使ってアイデアの目的を明確にするメモや、自分の仕事に「ハードル」をつくってアイデアを考えるメモなど、面白いアイデアが発想できるメモ術をお話しします。

メモを使って、アイデアを生む。それはとても楽しいこと。「つくメモ」は、誰でもクリエイティブな仕事ができるメモ術なのです。

未来メモ3「つたメモ」。
メモを使って、大切なことを伝えるメソッド

3つめの「つたメモ」は、**「まとメモ」「つくメモ」**で生み出した内容を、わかりやすく**人に伝えるためのメモ術**。チームで仕事をする人、上司や部下と仕事をする人、社外の人と連携して仕事をする人などにオススメです。

私の仕事ももちろんそうですが、今の仕事では多くの人たちと連携して進めることがたくさんあります。そんな中で、最も大切で、かつ、難しいのは、チームや得意先との「意思疎通」かも知れません。**この「つたメモ」は、その「意思疎通」がうまくいくメモ術。**

一度覚えると、仕事でも、普段の暮らしでも、伝えたいことが伝わるようになる、うれしい

メソッドです。

これら3つの「未来メモ」はいずれも、シンプルなメモ術でできています。

もちろん覚えるのは簡単。いま手に取られているこの本を読むだけです。しかも、身につけたメモ術は一生使い続けられます。ぜひ、みなさんに使ってもらいたいと思います。

では、能書きはそこそこにして、まず、情報をシンプルにまとめ、仕事の効率を引き上げる「まとメモ」から詳しく話をしていきましょう。

「メモ散歩」
メモを持って街を歩こう。

メモは面白いコトに出会う能力も向上してくれます。


たとえば芸人さんは、街であった面白いことをよく話しますが、あれは、**ネタを探そうと思ってアンテナを張っているから**です。

世の中を注目してみれば、興味深いことが見えてくるのですね。


そこで「**メモ散歩**」。やることは、「面白いことがあったらメモしよう」、と思いながら街を歩くだけ。

メモには、「ネタ集め」と同じ効果がありますから、街の面白いことが、いっぱいひっかかってくるようになるのです。


さらにたくさんのネタを集めるなら「**スナップメモ散歩**」もいいでしょう。こちらは、スマホを手に持ち、「写真を撮ろう！」と思って街に出るだけ。そして写真を撮り、思ったことを少しだけメモするのです。

実は、何を撮影しようかな？　と思うだけで、何も持たないときよりも、街に対する興味が増して、街をつぶさに見るようになります。

それだけでも、十分に世の中は面白く見えてくるはずです。ぜひ、お試しください。

第1章

まとメモ

ぐっちゃぐちゃな情報を
驚くほどスッキリ整理する5つのメモ術

情報は、まとまると「武器」。まとめないと「ゴミ」

情報は、整理されていないと使えません。

使えないと、ゴミ同然です。でもそのゴミのような情報が、私たちの周りには山積みになっています。

この「まとメモ」は、メモというカタチをとった、情報の整理術です。

「まとメモ」の技術を知ることで、誰でも、どんな仕事でも、すっきりとした情報の整理ができるようになります。

そしてそれこそが、これからの**「情報の洪水」から生き残るたったひとつの方法**だと思います。

ここでお話しする「まとメモ」は5種類あり、それぞれが効果抜群で、しかもシンプルなメモ術。そのメモ術を使いこなせば、誰でも簡単にいい仕事ができるというわけです。

では早速、その5つのメモ術をそれぞれご紹介しましょう。

まとメモ

1

３つの「○」

最もカンタンで効果的な「まとメモ」。
大切な情報を、未来の自分に伝えよう。

最初の「まとメモ」メソッドは、ただの「○（丸）」です。
「え、ただの○？」と怒られそうですが、この「○」がとても効果的。**「○」があれば何が重要なのかもすぐにわかりますし、**「○」は昔から「正解」の記号なので、それを見るだけで、**その情報が「正しく」「必要だ」と瞬時に理解できる**のです。

やることは、「○」を付けるだけ

この「３つの○」のメモ術はいたって簡単。メモを取っているとき、**「これは重要だな！」と思った情報や文章に「○」を付けるだけ**です。とても簡単でしょ。

でも、これだけでメモは飛躍的に「使える」ものになります。

前にも書きましたが、メモの欠点は、見返したときに混乱することです。だから**「○」を付けて、見るべきポイントを明確にする。**たったそれだけで情報はわかりやすく整理されるのです。

次ページの2つのメモをご覧ください。内容はみなさんもご存じの家庭用ゲーム機**「PS4」**の広告キャンペーン用の課題整理。２０１５年の春に実際にメモした内容です。

どうでしょう？　まず「○」が付いている下のメモのほうが目に留まりますよね。しかも、その中でも、「○」が付いている内容に注目する。

「そんなこと当たり前だ！」なんて思わないでください。まず、注目する確率が高くなることは大切ですし、さらに、10日後、１カ月後、１年後にこのメモを見返したときに、この「○」がとても重要な道標になるのです。

実際、このＰＳ４のメモを取ってから1週間たった後では、前の打ち合わせの記憶がかなり薄れていました。

でも、打ち合わせ前にメモを見返したことで、即座に前回のポイントを思い出すことができ、アイデアの方向性もすぐに決めることができたのです。

世界で１億台を目標にするほど売れている。
日本では、ゲームに費やす時間が以前より少ない。
PS2以後、遠ざかっているユーザーが多い。
PS4は著しく進化していて一度見れば驚く。
面白いゲームはやりたいけど、「暇がない」人が多い。
「ドラマ」「LINE」と余暇時間の取り合い。
家族みんなが面白いと思うものは買いやすい。
子どもと盛り上がれるならやりたい。

世界で１億台を目標にするほど売れている。
日本では、ゲームに費やす時間が以前より少ない。
PS2以後、遠ざかっているユーザーが多い。
○ PS4は著しく進化していて一度見れば驚く。
面白いゲームはやりたいけど、「暇がない」人が多い。
○ 「ドラマ」「LINE」と余暇時間の取り合い。
家族みんなが面白いと思うものは買いやすい。
○ 子どもと盛り上がれるならやりたい。

そして、たとえば「○」を付けておいたテーマで、子どもと積極的に楽しめるソフトを推そうとか、「暇がない男性」には、通勤中やショッピングセンターなどで面白さを訴求しようとか、ゲームの進化を気軽に体験できるイベントも考案しようとか……、実際のキャンペーンにつながるアイデアがその場で、そのメモから生まれたのです。

必ず忘れる、という前提

何度も言いますが、今、あなたが会議の内容をメモしたとしても、そのときの記憶は、数日後にはきっとすっかりなくなっています。もちろん、何が大切で、何を考えるべきだったかなんて、わかるはずもない。でも、**メモにこの「○」が付いていれば、書いたときのあなたの判断や発見がわかります。**それはとても重要なこと。**「○」は判断の足あとなのです。**

ここに「○」が付いている

←

ということはこれが重要だと思っていた

↓

ということはこういう判断だったんだな

↓

じゃあこうすればいいんだな！　と推測できる

この気づきがあるだけで、仕事の効率は上がります。

そして、驚くほどスムーズにアイデアを考え始められるのです。

じゃあ、どういうものに「〇」を付ければいいのか？

実は、何も考えず、重要だと思うものに「〇」を付けるのでもいいのですが、後で使いやすいメモにするために、３つのルールをお話ししましょう。

ルール１：一度のメモで、「〇」は3つまで

まず、「３つまで」をルールにすると、「〇」が無数にあって混乱する……なんてことが

避けられます。

学生のとき、ラインマーカーの線をいっぱい引いて、何が何だかわからない教科書になっている人がいましたが、それと同じで、実際に「○」を付け始めると、たくさん「○」を付けたくなってしまいます。

そうなると「○」だらけになり、結局何も伝わらないメモになる。だから3つまで。それを守ると、何に「○」を付けるかを選ぶため、書いた内容について深く考えるようになる。そのプロセスが大切なのです。

ルール2：どこかに書いてあることには、「○」を付けない

社内文書や企画書で「重要そう」に書いてあることには、「○」を付けたくなりますよね。でも、それにはあまり意味がありません。わざわざメモしなくても元の文章を見ればわかりますからね。

それよりも大切なのは、**忘れてしまいそうなことです。たとえば「大切だと思った考え」「そのときに思いついたアイデア」「後で調べる必要のあること」「考えるべき方向」**など。

そうしたものに「○」を付けることで、未来の自分がより考えやすくなるわけです。

ルール３：「?」と思ったことは、「〇」をしておく

疑問に「〇」を付けるのも大切なこと。こうすることで、未来の自分がその「?」に気づいて、考え始められるからです。

よく「最初の打ち合わせで思いついたことが結論に結びついた」という話を聞きますが、あれはフレッシュな目で問題をとらえることで、余計な情報に惑わされず、いきなり核心をついた疑問と、その答えが生まれるからです。

「なぜこれはこうなのか?」という、最初のシンプルな疑問こそが、本当の課題をあぶり出す。私はそれを、〝**ファースト「?」**〟と呼んでいますが、この〝ファースト「?」〟を大切にすると、課題が明確になり、後にアイデアの精度が上がります。だからこそ「〇」を付け、その〝ファースト「?」〟を覚えておくのです。

このように、いくつかのルールを守りながら、「〇」を付けるのです。そうすれば、「〇」は、メモしたときのことをすっかり忘れたあなたに、思い出すきっかけをくれるうえに、様々ないい効果をもたらしてくれるでしょう。

あのコピーも、ひとつの「○」から生まれた

実は、私は若い頃、ある仕事でこの「○」に助けられたことがあります。それは**「日産セレナ」**というクルマの仕事でした。

セレナは家族向けのワンボックスカー。当時このジャンルはとても伸びていましたが、日産は、トヨタのノア、ホンダのステップワゴンに大きく負けていました。そこでこの新型セレナで巻き返しを図ろうとしたわけです。

コピーライターにとってクルマの広告は花形です。しかも今回はとても重要な仕事。その仕事に若くして抜擢された私は、鼻高々でした。だから一生懸命にコピーを書きまくりました。

でも、ちっともいいコピーが書けない。上司からも、「小西じゃダメなので、もう一人コピーライターを入れたほうがいい」と言われるほどでした。

今から思えば、当時の私が書き続けていたのは、競合車種との差別点。つまり「こっちのほうが優れている」と伝えるコピーばかりでした。そういう差別点を伝えるのも広告と

してはもちろん大切なのですが、小さな差別点を伝えるだけでは、結局、世の中の人の心には刺さらないし、広告としての話題も小さくなる。本当は、ワンボックスカーに乗る人の心を動かすようなコピーを書かなきゃいけなかったのに、そこに気づかずにいたわけです。

そんなとき、見返したメモで、ひとつの「○」に出会います。

それは、このクルマを担当して初めて、日産自動車へクルマを見に行ったときに思った〝ファースト「?」〟でした。

「みんな、どんな思いで、このクルマを買うんだろう?」

最初、私は、その疑問を持ったのです。そして「○」を付けた。それはとても大切な「?」だったのに、それを忘れていた。たくさんの会議を経るうちに、数字やデータやグラフや資料に追われ、より明確な差別点は何で、競合との優位点はどこで、市場は何を求めているか?　ばかりを考えるようになったからです。

広告としては、それも正しいことです。でも、それだけじゃ人の心を動かせない。**親の**

本心や、子どもの願いは何か？　何と伝えれば、人はこのクルマを買って遊びにいこうと思うのか？　クルマが家族に与えてくれる歓びは何か？　そこを考えるべきだ。

「○」との再会が、そのことを思い出させてくれたのです。そうして生まれたコピーが、

「モノより思い出。」

それは、当時、仕事ばかりで子どもを振り返っていなかった親世代に、「子どもとの思い出をつくるべきだ」という強い気づきと共感を生み、それをきっかけに、販売台数も飛躍的に伸びました。

　結果的に、「モノより思い出。」は１９９９年から２００３年まで４年のあいだ使い続けられるロングランヒットになり、今もたくさんの人から、「座右の銘です」と言っていただけるコピーになりました。そして、私が、

コピーライターとして独り立ちするきっかけにもなったわけです。

そのすべてが、ひとつの「〇」から生まれた。だからこそ私は、今も、その小さな「〇」を大切にしているのです。

もちろんみなさんの中には、そんなのは偶然だし、「〇」を付けたぐらいで、そんなに劇的なことは起こらないと思われる方もいらっしゃるでしょう。

でも、事実、「〇」を付けて、見返すだけで**情報との再会が起こり、〝ファースト「？」〟を思い出せたり、迷っている気持ちが整理されたり、新しいアイデアを生むことができたりするのです。**だからこそ「〇」を付けて、**未来の自分に今の気持ちをつなぎ、未来の自分が「理解するとっかかり」を残してほしいのです。**

人は必ず忘れる。常にそれを意識しつつ、今は忘れても近い将来、思い出せるようにしておく。それが未来メモの極意なのです。

まとメモ
2
矢印「←」
「←」は、秩序をつくる。
つながりがわかれば、難しい話もパッとわかる。

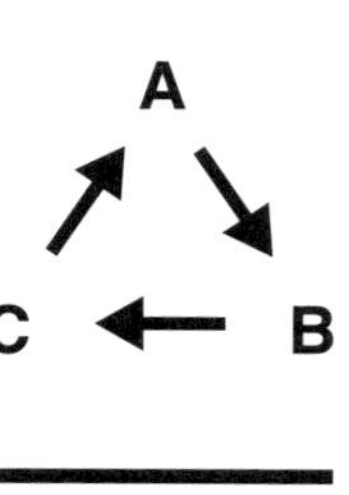

2つめの「まとメモ」メソッドは「**←（矢印）**」です。「今度は、ただの矢印なの？」という声が聞こえてきそうですね。そうです、ただの「←」。

でもこれが、決定的に大切なことをメモに生み出してくれます。それは「**秩序**」。

どういう順序で考えればいいかわからない
考えることが多くて考えられない
何が一番大切なことなのか判断できない

このような困った状況は、実は、混乱から生まれます。混乱すると、人は何を考えていいかわからなくなる。少し整理すればわかることも、冷静になれば気づくことも、混乱するとわからなくなります。

メモも同じ。混乱したメモはまったく何も伝えないゴミになり、読んでもただイライラするだけの文字のカタマリになります。

序章でお話ししたように、メモを見てこのような混乱を体験すると、メモがただ邪魔くさいだけの、いらない資料になります。だからこそ必要となるのが、秩序です。

「混乱」の反対にあるのが「秩序」

どういう順序で考えればいいかわからない！　↓　**ここから考えればいいのか！**

考えることが多くて考えられない　↓　**いらない情報と必要な情報を分けよう！**

何が一番大切なのか判断できない　↓　**この課題を解決するアイデアを出せばいい！**


このように、考える順番や目的が理解できると、人はとたんに安心して考えることができるようになります。

これが「**情報の秩序**」。そしてその秩序を生むのが「←」の役割なのです。

ただランダムにあった情報を「←」でつなぐと、**情報の関係が明確になり、情報がすっきりして、理解しやすくなります。**さらに、**考える順序や目的がわかるようになるのでアイデアも考えやすくなるのです。**

例を見てみましょう。左から2ページにわたって3つのメモを並べています。

これらは2010年にファッションビルの**パルコ**の広告を考えたときのメモです。1つめのメモは、会議でいろんなことを話しながら、思いついたことをランダムに書いていったので、内容がバラバラになっていますね。**これでは未来の自分が困ります。**

そこで、会議が終わったとき、まだメモの背景にある「考え」や「発見」が鮮明なうちに、メモを「←」でつなぎ、秩序をつくっておきました。それが2つめのメモ。さらに「○」や「下線」で始まりと終わりを強調しておいたので、後で見返したときに、何を考えればいいかが一目瞭然になりました。

どうでしょう？　**1つめのメモでは無秩序だった情報が、2つめのメモでは、「←」でつながり、わかりやすく、意味のある情報になりました。**これが「矢印メモ」の効果。

矢印は普段から当たり前のように使っているものですが、**こうして「使い方とその目的」を理解すると、頭が整理されて、アイデアも考えやすくなるのです。**

第1章　まとメモ

1

今のシアワセとは何だ？　プロデューサー時代（白馬の王子さま時代）

販促？　ブランディング？

ファッション＝
シアワセの記号化

かっこいい？
わかりやすい？

没個性の時代？

スタイリスト時代
（誰かに服を決めて欲しい）

現代の夢は何？　シアワセになれるなら売れる

流行はすぐ終わる

現代の憧れとはなに？　流行が長続きする秘訣は何？

流行じゃなく
本質を求めている

ファッションのできることで描く　暗い時代／景気が悪い

売れることが大切!!　他人任せのファッション

H＆M　FOREVER21の台頭

ハズレの服は買えない　褒められる服が欲しい

安くていいものが最高

パルコ

違う方がかっこいいと
どうすれば思えるか？

同じでいい／同じがいい　高級なものは流行ってない

ファッションを選ぶことの意味は？

高いけどいいものを着るには　ファッション＝個性

この時代にいい生き方とはなんだ？
Think Different／Just　do it！

同じじゃない意味　生き方の提示

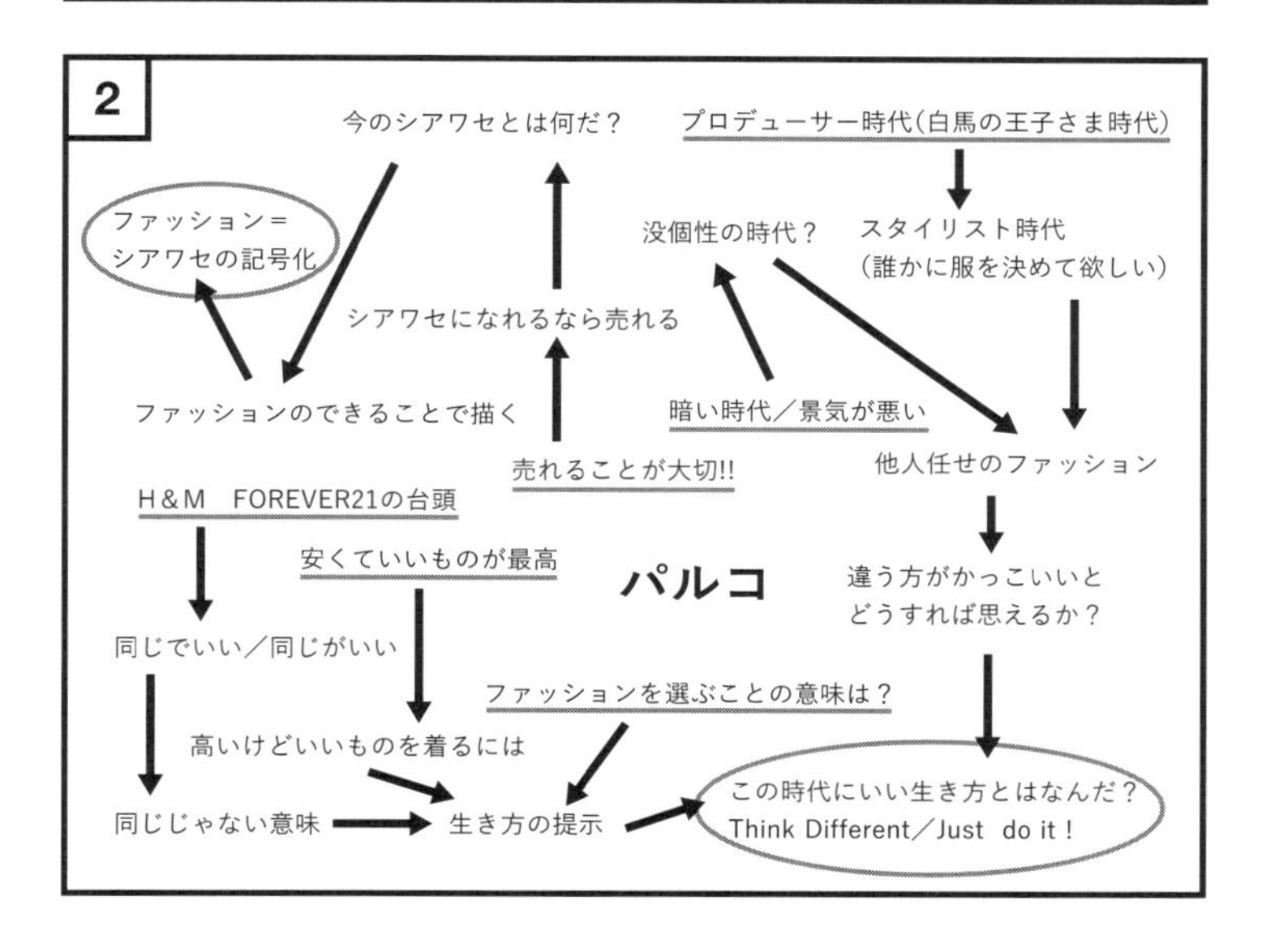

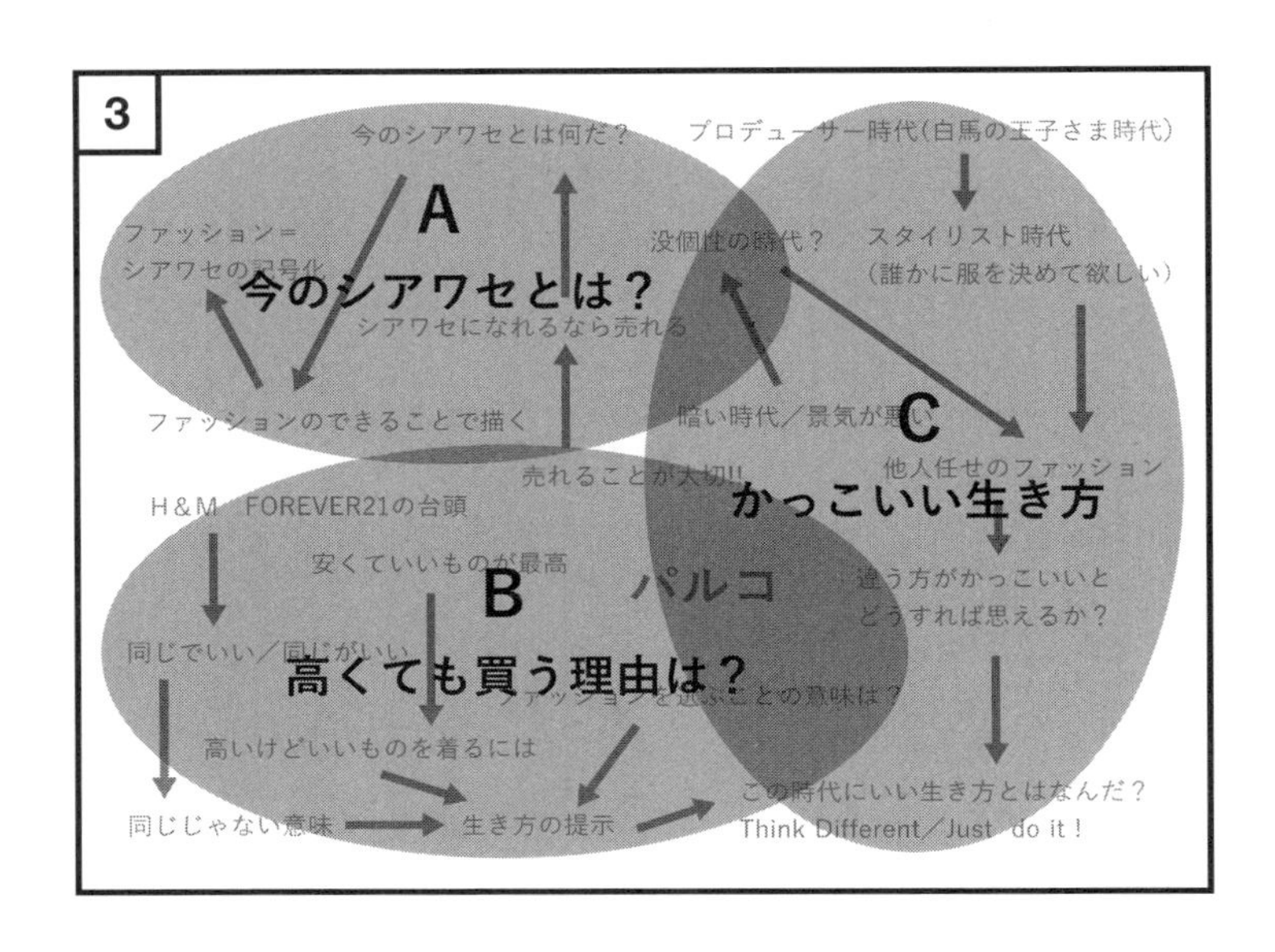

3つめのメモは、ちょっと応用。「←」でつなぎ合わせた流れからA~Cの3つのまとまりをつくったものです。実は、このまとまりも大切。**後で考えるときに「アイデアの方向」を指し示してくれるの**です。

まとめることで、

A.「今のシアワセとは何か？」という観点からファッションをとらえる。

B.ファストファッションに対して「高くても買うべき理由」を考える。

C.今の時代に「かっこいいと思える生き方」を提案する。

という整理ができました。これがあればアイデアがかなり考えやすくなるでしょう。

さてここで、もう一度、61ページの2つめのメモを見てください。見ておわかりのように、2つめのメモでは、1つめのメモから「←」でつながれなかった文字が消えています。これは、未来の自分を含め、**このメモを見る人に「考える方向」をよりわかりやすく伝えるため**です。議事録的にメモを人に見せて伝える場合は、このように「いらない情報を消す」のも効果的だと覚えておくとよいと思います。

ところで、この仕事では右記のA、B、C、3つの方向でアイデアを追求し、結果的にAの方向から、「今のシアワセ」は、「大好きな人とふたりでいること」だという結論に行き着きました。そしてそのテーマをファッションで表現するために、「部分的なペアルック」を提案。広告のキャッチコピーは「**ふたりPARCO　よかった。あなたと、つながってる。**」に決めました。このキャンペーンは店頭でも大々的に展開され、結果的に、当時のパルコでも例をみないほど、盛況なキャンペーンとなったのです。

ところで、第4章で登場する作家の伊坂幸太郎さんも、小説を書く前には必ずこの「矢印メモ」で書きたいことをまとめるそうです。

そもそも、頭の整理や論理構築に「←」は効果的なのですが、ストーリーを構築するうえでも重要な武器になるということですね。第4章でじっくり書きますので、楽しみにしてください。

さて、このようにメモの書き手にとって大切な「←」ですが、実は、「読み手」にとっても効果的。「←」にそって読み進めると、論理的に理解しやすいうえに、**「←」を追うことで徐々に結論に近づいている気持ちになり、読む快感も増す**からです。「←」は書き手の整理になり、読む楽しさまでプラスするメモ術なのです。

道標があれば、迷わない

「←」の効果をさらに考えてみましょう。

まずここまでお話ししてきたように「←」はメモ内に秩序を生みます。それはメモ内の**「道標」**のようなもの。「←」があるだけで、時間がたったメモでも迷わずスラスラと歩けるようになります。

人は、順番通りだとホッとします。バラバラになっているトランプを順番通りに並べると、なんだかちょっと安心するように、古いものから新しいものに並んでいたり、原因から結果へときれいに並んでいたりすると嬉しくなるのです。

それは、順序が秩序を生み、頭が整理されるから。

人は、無秩序なものよりも秩序のあるもののほうが気持ちいいってわけですね。

だから「←」が大切。「←」は、順序を生み、無秩序を秩序に変えてくれます。**「←」はとてもシンプルですが、画期的に頭がスッキリするメモ術**なのです。

さらに「←」は、**目的や原因を意識する訓練**にもなり、また、課題の発見にもつながります。実は、これがとても重要なのです。

「←」は、気づきを生む

「←」を使うと、「原因→結果」や「ニーズ→メリット」のようなつながりに興味が生まれ、逆に**つながっていない部分に、疑問を持つことができます。**

この疑問が、問題の解決には重要。**その疑問から「新しい課題」が見つかるから**です。

少し話はそれますが、私はよく講演会でこの「←」を使った発見について話すことがあります。テーマは「**広告**」という言葉について。

今、広告は大きく変わり始めています。というのも、ここ数年でＳＮＳやネットが大きな力を持ち、これまで全盛だったテレビや新聞の力が翳（かげ）ってきた。つまり、たくさんの人に同じことを一気に伝えるだけではうまくいかない時代になってきているのです。

それは「広く告げる」＝「広→告」の時代から、ネットを中心に「面白いことを告げてシェアする」、つまり「告→広」の時代になってきたということ。

「広告」から「告広」へ。そう考えるだけで、これまでの「広告」の方法論を見直すきっかけが生まれます。

このように**普段何気なく見ている「つながり」の間に、あえて「←」を入れ込むこと**

で、見えていなかった「矛盾」や「違い」が見えることもしばしば。暮らしや仕事の中で、一度試してみると面白い発見があるかもしれません。

このように「←」は、疑問や矛盾を発見するきっかけになりますが、それらを発見したら、次は**その疑問を会議や講義で発言してみてください。「ここのつながりがわからないので教えてください」**という質問は、とても前向きで、「この人は話をきちんと聞いている」「論理的な思考ができている」という好評価につながります。たとえ質問が間違っていたとしても決して悪い評価にはならず、逆に、理解が深まるというメリットが生まれます。会議や講義などで、何を質問していいのかわからない人は、ぜひ試してみてください。

さてここまで書くと、こんな声も聞こえてきそうです。

「『←』を書くには内容の理解が必要だけど、そもそもそれが面倒で、難しいのでは？」

そうですね、内容を理解しながら進むのは、たしかにちょっと難しいのです。

でも、ご安心を。やることは、ただメモをして、「←」でつなぐだけ。最初に内容をじっくり理解するような面倒は必要ありません。

理解は後。まずは気持ちよく「←」でつなげばいい

打ち合わせで出たアイデアや情報をメモしたら、その後、少しだけ時間を見つけて、メモを「←」でつないでください。

「←」の意味は「だから」「そこで」「ところで」「つまり」「でも」「さらに」のいずれか。

でもまずは、そのときに思ったことを、気持ちよくつながる順番でつなげていくだけでOK！　AだからB。そこでCと関係するから、つまり、Dというメリットになる……のように、気軽につなげるだけ。まずは、そこから始めればいいのです。

実は、「←」の**「つながり」は、たとえ間違っても効果があります**。それは「矛盾」に気づくから。見返したときに「何となくつながってないな……」と気づくことから新しい

課題の発見につながるのです。

ところで「←」でつながれたメモは、**読む順番や論理が視覚的に整理されるので、**とっつきやすくなります。脳は、たくさんの文字による整理よりも、「←」などの視覚的な整理のほうが理解しやすいからです。

そして、そんなとっつきやすい情報だからこそ、**つながりの矛盾が見つけやすくなります。**慣れてくれば、その「つながり」を見ながら矛盾をパッと見つけたり、瞬時に解決策を考えていくこともできるようになります。

さて、「←」の次は、３つめの「まとメモ」に進みましょう。

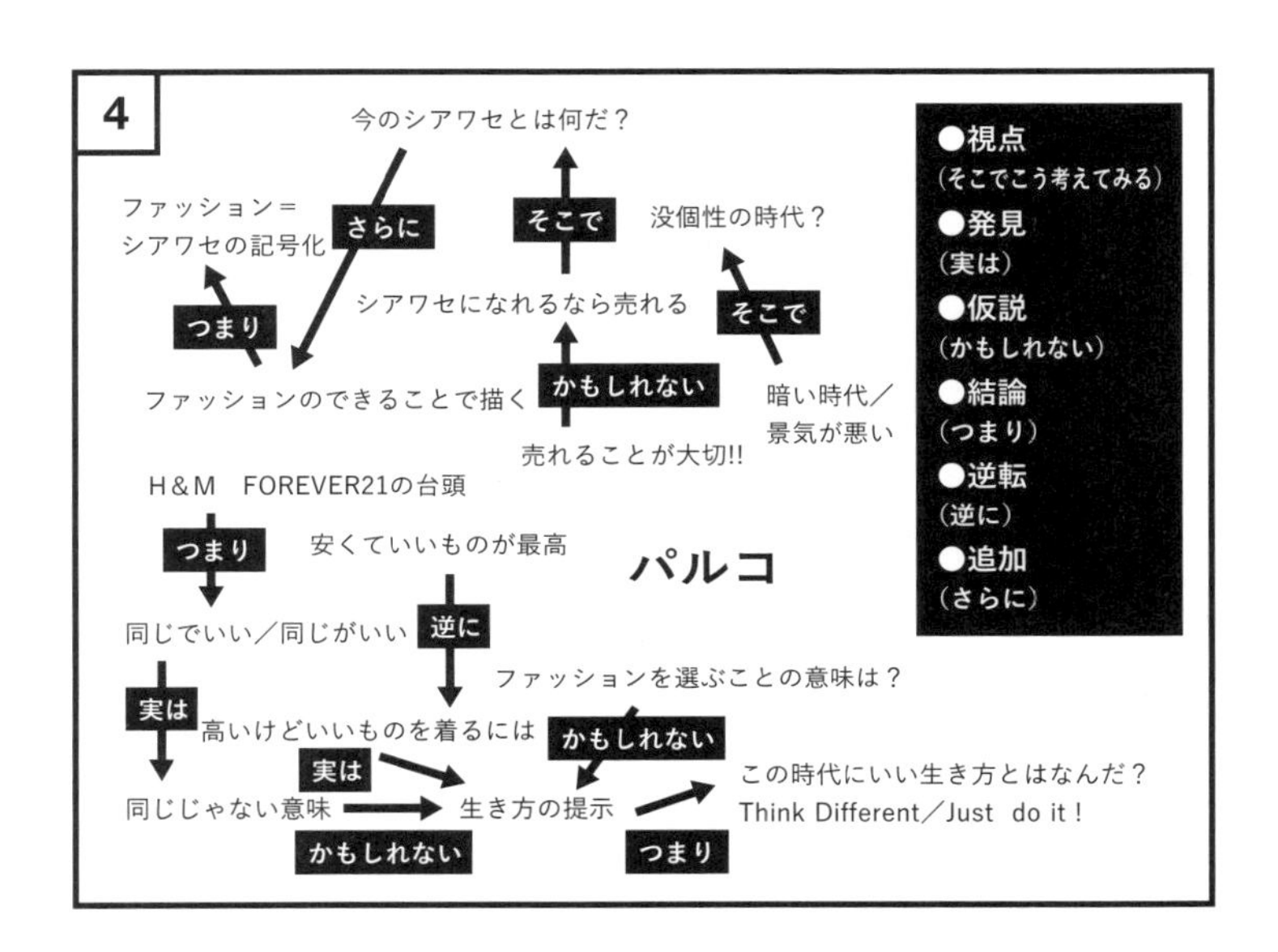

まとメモ 3

記号

VS ? ○× ☆ ⇔

記号は、情報を読みやすくする「まとメモ」。3秒で書いて、仕事を3倍速くしよう。

次のメモ術は、「記号」です。記号といっても、世の中にはたくさんありますが、私が使うのは、次の5つ。

VS・・・「これとこれは競合するものだぞ」
?・・・「この部分はわからないから答えを探そう」
○×・・・「この方向は正しい。この方向は間違い」
☆・・・「これは重要だから重点的に考えよう」
⇔・・・「これとこれは、対比して考えよう」

でも、みなさんはまず、何も考えずに、好きな記号を使ってみてください。もちろん3

つでも、1つでもいいでしょう。各自で使いたいものを使えばいいと思います。

大切なのは、難しく考えず、頭に思いついたことを記号で残しておくことです。

メモを書いているときや見返しているときに、**思いついたことを記号で残すようにすれば文字で書くよりもスピードが速くなります。**また、メモした情報がわかりやすく読めるので、仕事が効率化します。

言葉で書くのと違い、「○」も「?」も、書くのに3秒もかからないですが、その情報を読んで、考えるスピードは、3倍ほどになるのです。

記号は、素早く、カンタンに、多くを語る

では私が使っている、いくつかの記号を紹介していきましょう。

まず**「VS」**。

これは、対抗概念や競合情報などを書き入れるときの記号です。普段の競合はもちろん、あえて「意識すべき競合」を書いておくのがコツ。

たとえば、音楽CDを売るアイデアを考えるメモでは、「VS YouTube」や、「VS 違法ダウ

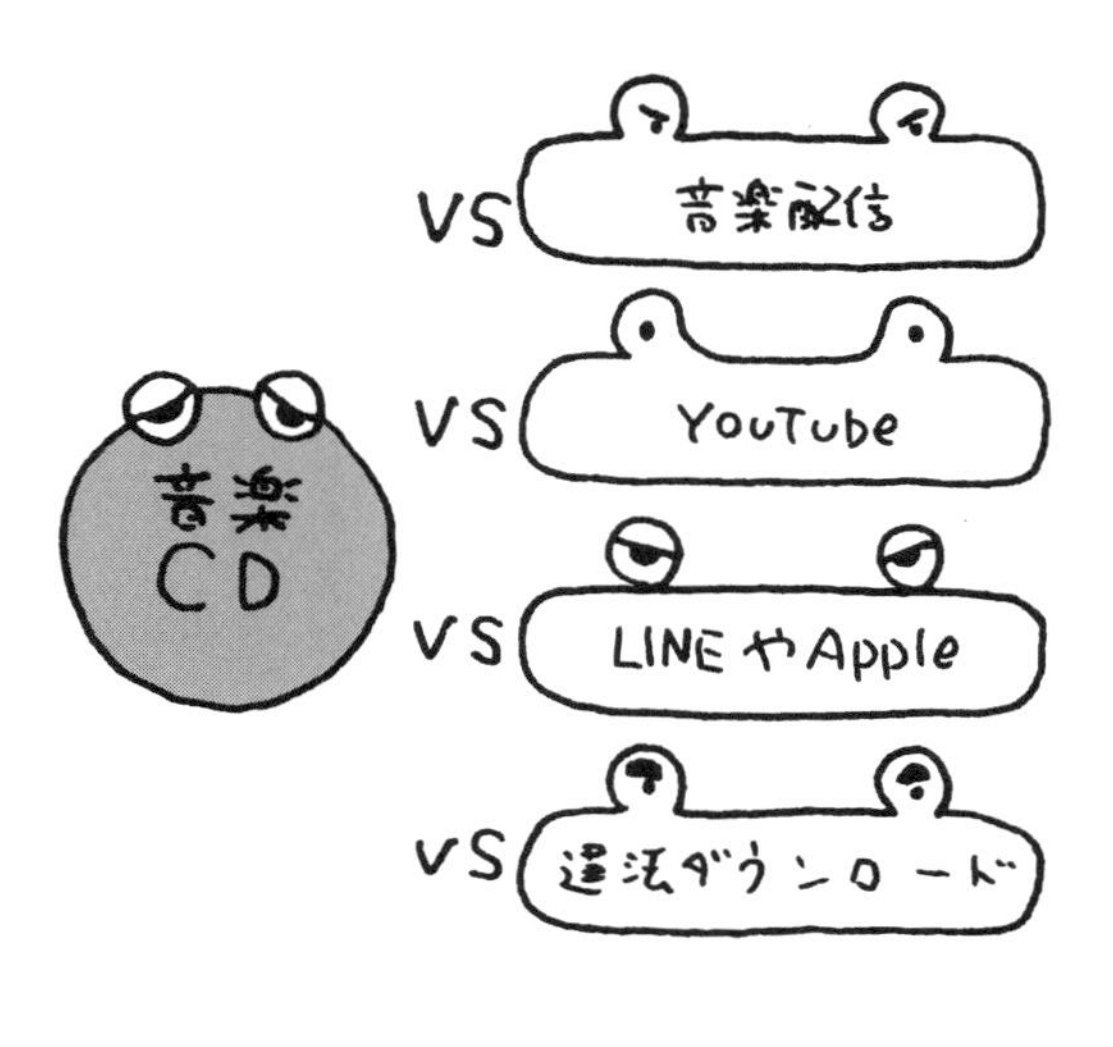

ンロード」と書くことで、別のインターネット・サービスや社会問題すらも競合として意識できるようになります。「VS」は、「競合」や「対抗概念」を常に頭に置きながら、それを踏まえてどうするかを考えるきっかけになるのです。

次に「**?**」です。

これはとてもシンプルな記号ですね。とにかく**「疑問」に思ったら、「?」と書いておくだけ。それだけで思考を円滑に進める武器になります。**

実は、この「?」の記号を、私はよく使います。たとえば、２００９年秋、来期向けの女性用下着「カップ付きインナーウエア」（※ブラトップなどが代表的）を担当したとき、メモに「VSブラジャー」と書き加えたことがありました。ただ、そのときに少しだけ、違和感を覚えたので、「VSブラジャー」の近くに「?」と加えておいたのです。

そして、数日後の会議で、そのメモを見つけ、「カップ付きインナーの競合商品って、ブラジャーなの?」と女性スタッフに質問したのです。これがよかった。

そこから、「女性は今、カチッとブラジャーをする気分ではなく、もっと楽なものがいいと思っているのでは?」という仮説が生まれたのです。それならば「もっと楽な下着」を考えようという方向性を見つけ、そこからひとつのアイデアが生まれました。それが、

胸がスケないふんわりキャミソール

いわゆる機能性下着のように締め付けもせず、ラクに着られるのに、スケない。夏にはもってこいの商品で、2009年当時では画期的なアイデアでした。残念ながら別のアイデアを商品化したため、発売には至りませんでしたが、クライアントからは高く評価され、信頼を勝ち得た提案のひとつとなりました。

このようにメモに記号を書き込み、そのときの自分の気持ちを残しておくと、未来の自分がアイデアを生むときにとても大切なチカラになります。文字にしないぶん気軽に書け

るうえに、文字よりもスピーディーに考えるきっかけをくれるのです。

また、**「○×」**も使える記号です。

「○」と「×」は別々に使うのではなく、セットで使います。たとえば、

×胸がキレイに見えるので、女性にうけている。

○胸が楽なので、女性にうけている。

のように書いておくだけです。この場合は、思い込みに「×」、発見に「○」が付いているので、とてもいい記号の使い方ですね。「胸がキレイに見えるよりも、楽だからという理由で売れる」という発見が、記号によって浮き彫りになっています。

このように「○×」は、自分の思い込みを正すときに効果的。

思い込みだと気づいたことに「×」を付けておけば、同じ間違いを繰り返さなくて済みますからね。自分という人間は、未来でもさほど変わらない思考をするので、それをあらかじめ正しておくというわけです。

さらに**「☆」**は、大切なところに記します。これは、「まとメモ」の1つめで「○」を

付けたのと同じ役割ですね。ただ、「○」よりも「さらに重要」を意味するので、メモの中のトピックスや絶対に必要と思ったところに付けるようにしてください。

最後に**「⇔」**。これは何かと何かを比較して考えるということを意味します。たとえば「今までの方法⇔これからの方法」や「レジャーは海派⇔山派」のように対立する意見をそれぞれ大切に考えるときなどに使うと、整理されます。

記号を使うと、頭が整理される

では、これらの記号を使った情報整理の例を見てみましょう。77ページにあるメモは、埼玉県の越谷市にあるショッピングセンター**「イオンレイクタウン」**の開発にあたって実際に書いたメモから、必要な部分を抜粋したものです。

見ていただきたいのは、このメモが5つの記号を使って、わかりやすく情報を整理していること。パッと見るだ

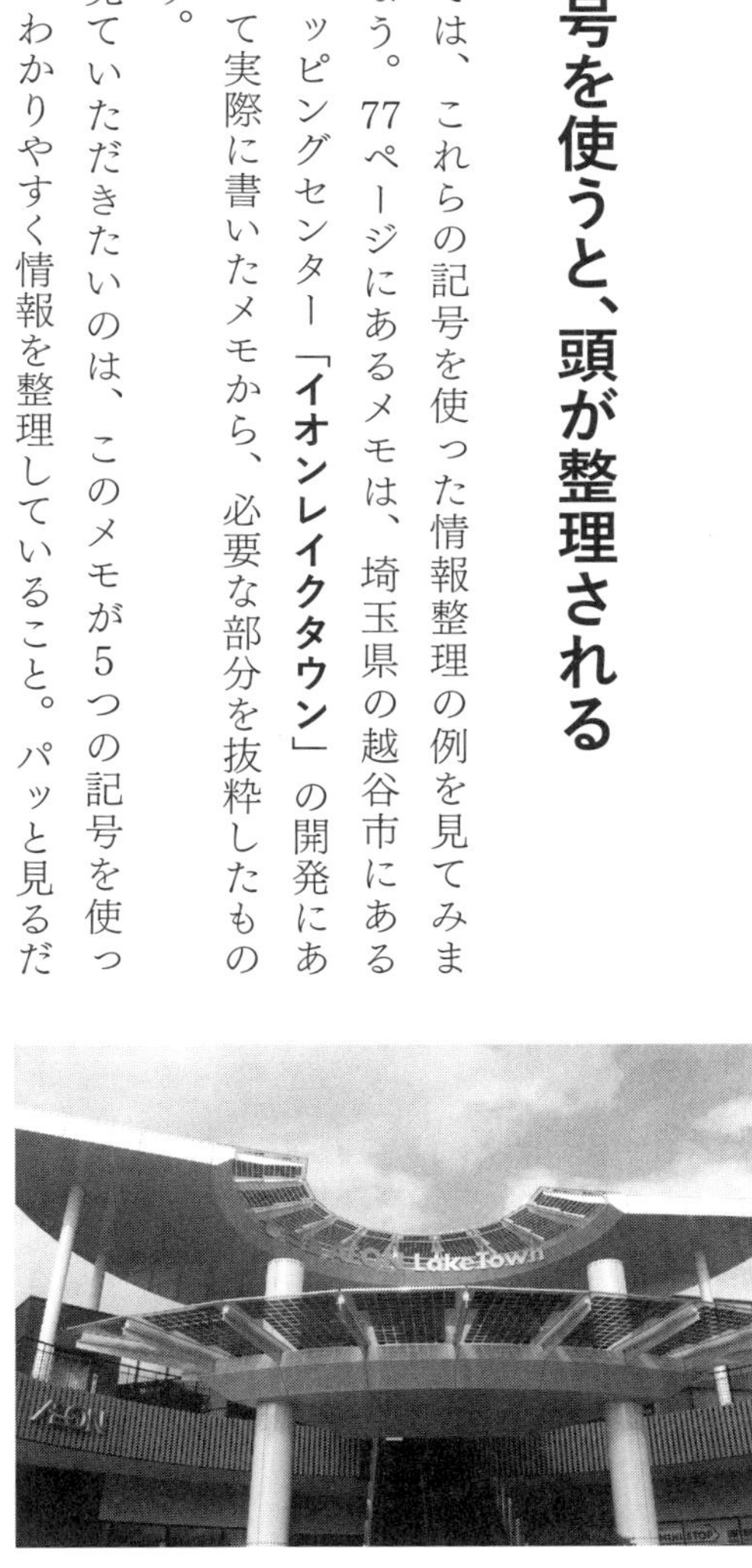

けでも要点がわかり、何が大切で、何をどう考えるべきかがわかると思います。

早速、どのようにこのメモを書いたのか、説明していきましょう。

まずメモの真ん中には、常に「考えるべきテーマ」を書きます。このときは「イオン越谷レイクタウンショッピングセンター」という施設名を書きました。この名前、施設の愛称としては長いですよね。そこで、まず、わかりやすくて呼びやすい施設名をつくるべきだと思い、それを左上にメモして「**☆**」を付けました。この「**☆**」が後ほど正式名称になる「イオンレイクタウン」のきっかけというわけです。

ところでこのショッピングセンター（以下ＳＣ）は当時、日本最大の規模を誇るＳＣでした。ただこの時代、ただ大きさを誇るのではなく、**時代が求める価値でオリジナリティを出すのが大切**と考え、コンセプトを「日本最大のＳＣ」から「日本初のエコＳＣ」に変更しようと考えました。その重要な視点を対比して覚えておくために「**〇×**」の記号とともに書き入れ、さらに、「エコＳＣ」をわかりやすくするために、各館の名前も、Ａ館、Ｂ館から「**ＫＡＺＥ**」「**ＭＯＲＩ**」に改名。そこにも「〇×」を付け、他の「エコＳＣ」を実現するアイデアも「〇×」の記号を使い、従来の「ＳＣ」との対比で残しておきました。

残念ながら右下にある、「屋上を公園に」というアイデアは実現できませんでしたが、その他で「〇」を付けたアイデアはすべて実現しました。

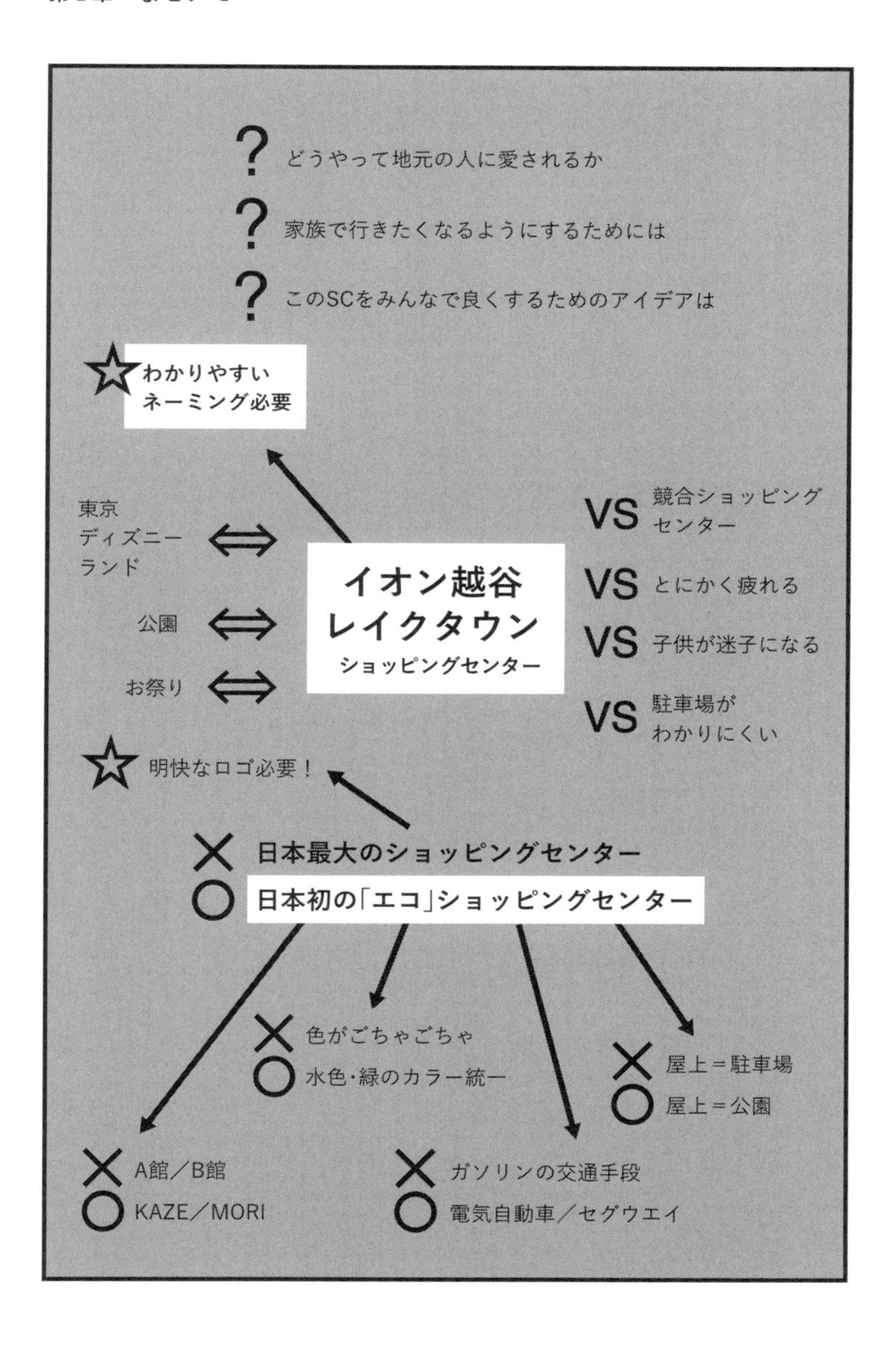
?どうやって地元の人に愛されるか
?家族で行きたくなるようにするためには
?このSCをみんなで良くするためのアイデアは
☆わかりやすい
ネーミング必要
東京
ディズニー
ランド
公園
お祭り
イオン越谷
レイクタウン
ショッピングセンター
VS 競合ショッピング
センター
VS とにかく疲れる
VS 子供が迷子になる
VS 駐車場が
わかりにくい
☆明快なロゴ必要！
× 日本最大のショッピングセンター
○ 日本初の「エコ」ショッピングセンター
× 色がごちゃごちゃ
○ 水色・緑のカラー統一
× 屋上＝駐車場
○ 屋上＝公園
× A館／B館
○ KAZE／MORI
× ガソリンの交通手段
○ 電気自動車／セグウエイ

次に、**「VS」**です。越谷の周りにはいくつかのSCがあるので、まずは「VS」でそれを記入。ただ、本当の競合は「来てもらえないこと」なので、あえて、SCのネガを「VS」として書いておきました。「疲れる」「迷う」ということも、SCに行きたくなくなる理由だと意識しておきたかったからです。後に「VS疲れる」の対応策として、館内に多すぎるほどの椅子を置き、いつでもどこでも休憩できるようにしたことで、満足度が跳ね上がる結果を生みました。

さらにSCとしての課題を**「?」**として書き加えることで、課題として認識しつつ、**「⇔」**で「公園」や「東京ディズニーランド」と対比させることで、常にエコで、楽しい施設を目指すことを意識しました。このメモは実際の仕事でも「マスタープラン」となり、すべてのアイデアがこのメモを起点に生まれていったのです。

「イオンレイクタウン」は、オープン後もとても評判がよく、2011年には国際SC協会世界大会にて日本初となる「サステナブルデザインアワード」最優秀賞を受賞。次々に増床して、今もたくさん人で賑わっています。

さて、実際の仕事で記号を使ったメモを見ていただきましたが、いかがだったでしょうか？　ちょっと複雑に見えたかもしれませんが、みなさんも「まとメモ」を少し続けるだけで、このぐらいのメモは書けるようになりますのでご安心ください。

もちろん、ここまで丁寧なのは嫌だなと思われた方も大丈夫。

まずは普通にメモを取りつつ、そこに少しだけ記号を付け加えてください。それだけでもとても読みやすく、わかりやすいメモになります。逆に記号を使わず言葉をたくさん使うメモは、読みづらく、わかりにくいメモになる。だからこそ、少しずつでも記号を使ってほしいのです。

たくさん記号を書く必要はありません。使えるときに、少し使う。それだけでも仕事がはかどるようになります。**記号は、情報を整理して、考えるきっかけを生む大きな手段。使いこなすほどに力を増す、心強い武器なのです。**

さて次は、同じく「考えるきっかけ」を生む強力な武器についてお話ししましょう。

まとメモ

4

吹き出し

吹き出しは、未来の自分への指示書。
気になることは、どんどん未来に書き残そう。

突然ですが、メモは、肉や魚に似ています。

「はじめに」でもお伝えしましたが、メモは腐ります。鮮度がいいときには、生でも使えるのですが時間がたってほうっておくと腐って使えなくなるのです。

また、メモには肉や魚を調理するときと同じように下ごしらえが必要です。食材に塩やコショウをふって下味を付けておくと、料理したときのおいしさがアップするように、**メモも、ほんの少し下ごしらえするだけで「おいしいメモ」になります。**

ここまでに紹介した「まとメモ」の3つのメモ術は、その、下ごしらえの技術。メモを使う未来の自分が、メモをおいしく扱えるようにしておくメソッドでした。

そしてここから紹介する2つの「まとメモ」は、より大きな効果を生むためのメモ術。

料理で言うと、下ごしらえした素材を使ってよりおいしい料理をつくり出すための**「レシピ」のような技術**です。

その１つ目が「吹き出し」。レシピの中でも最もシンプルな「使い方」のメモ術です。たとえて言うなら、お父さんやお母さんが外出しているとき、家族に「焼いて食べてね」とか「ドレッシングをかけてね」とメモを残して伝えるような感覚。**未来の自分に「こう考えてね」「ここを解決してね」という「調理法」を残しておく**わけです。

この「吹き出し」も、使い方はいたってシンプル。メモを少しだけ見返して、未来で考えるべきことを書くだけです。たとえば、

「ここから考え始める！」
「ここここの関係を電話で確かめる」
「ここを解決するアイデアが必要」

こんな指示をしておくだけ。簡単ですよね。

でもこれが効果的。後でメモを見たときに、**迷うことなく行動を起こせるし、何より動**

きが速くなることで仕事の効率が上がるからです。この指示は「記号」でもできますが、「考え方を指示する」ためには、短い言葉で書かれているほうが効果的だと思います。

3つのポイントで、レシピを残そう

ではどのように「吹き出し」を書くのか？　書くポイントは、たった3つです。

1：起点ポイント（ここから考えよう！）
2：確認ポイント（ここを解明しよう！）
3：重点ポイント（ここを伸ばそう！）

この3つがあれば、未来の自分が考えるレシピとしては十分。思ったことを、ひと言加えるだけでいいのです。たとえば、左ページをご覧ください。

図を見れば、簡単にやることがわかると思います。たとえば、**このような「吹き出し」**

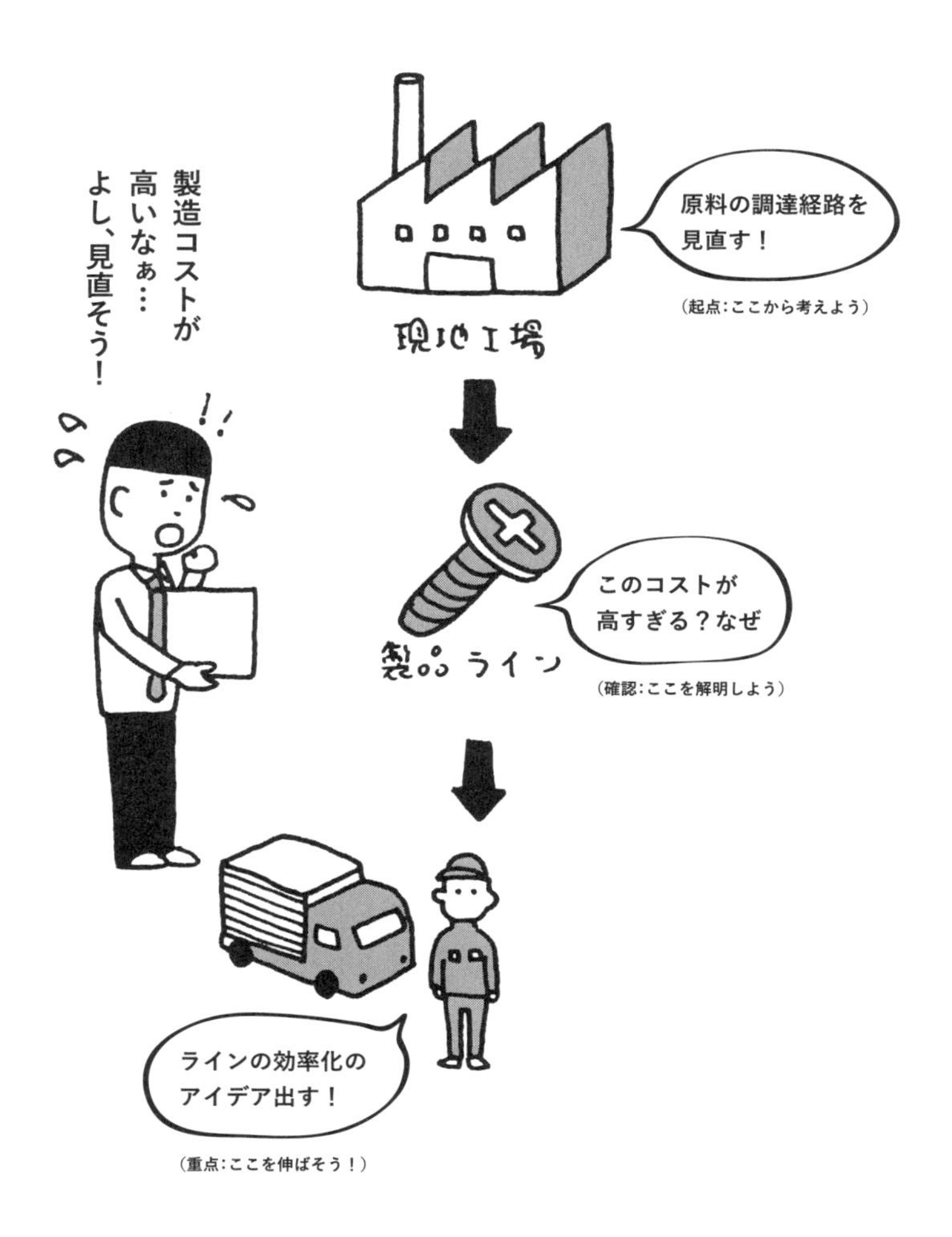
製造コストが
高いなぁ…
よし、見直そう！
原料の調達経路を
見直す！
（起点：ここから考えよう）
現地工場
このコストが
高すぎる？なぜ
製品ライン
（確認：ここを解明しよう）
ラインの効率化の
アイデア出す！
（重点：ここを伸ばそう！）

の指示を難しい社内文書に書くだけでも、わかりやすい「指示書」に変わります。

3つのポイントのうち、1つでも、2つでもいいのです。「ここから！」だけでも「ここを調べる！」だけでもいい。たったひと言が書かれているだけで未来の自分が考えるきっかけが生まれ、仕事の効率が上がるというわけです。

小さな言葉で、大きな理解を

さらに吹き出しの例を挙げてみましょう。下のメモは、ある会議で気になった言葉を書いたものです。

「来なくていい。と、来なくていいよ」。

なんだか詩的で意味が深そうですが、この言葉だけでは、どういう意図を未来の自

分に伝えたいのかがわかりませんね。
そこで、下に吹き出しでその意図を書きました。そうすることで、「気になった言葉」をメモしつつ、未来の自分に「何を考えるべきか」を伝えたわけです。この吹き出しを書いたときの私は、そのときに気づいたこと、つまり――、

「『来なくていい』だときつく感じるが、最後に『よ』を付けるだけで、言われた相手の気持ちが前向きに変わる。この『来なくていい』と『来なくていいよ』の『伝わり方』の違いを、常に意識してコピーを書こう」

と、未来の自分に伝えたわけです。

このように、吹き出しがあれば未来の自分への「指示」が明確になります。何をやればいいのかが瞬時にわかるので、迷わずに動き出せるというわけです。
だから多数の案件を並行して考える必要があるときでも、たくさんの会議に出席してプレゼンするときでも、頭を切り替えて考えるスピードが上がる。**まさに、アイデアのクラウチング・スタート**です。このように、吹き出しがあれば、会議の始まりから一気に頭を切り替え、アイデアを考えられるよう変わるので、だらだらした仕事とはスピードも質も大きく異なるようになります。まさに「**仕事ができる人**」になるわけです。

ここで、もうひとつ、「吹き出しがあったおかげでよかった」と思えた経験をお話ししましょう。次ページのメモは「**レクサス**」の広告を企画したときに書いたメモの写真です。**海外にも通用するアイデアの出し方をチームに話しているときの走り書き**ですね。

左の三角に「商品」と書き、右に「世の中」「人生」と書いています。海外のCMは右側の「人生」から発想するCMが多く、日本のCMは左の「商品」から発想するものが多い。どちらも一長一短がありますが、実は、**この真ん中の重なる部分にこそ本当の答えがある**と私は思います。

このメモでは、エクストリームな活動で話題になっている**REDBULL**やアップルコンピュータの「**Think different.**」、リーバイスの「**GO FORTH**」など、世界的なキャンペーンを引き合いに出しながら「人生と商品の間に答えを見つける」方法を伝えたわけです。

ところで、この2つの三角形は、この後、私の大切なメモ術のひとつになります。それが、第2章でお話しする「三角メモ」なのですが、実はこの図を書いた後、この三角メモのことをずっと忘れていたのです。そして、数カ月後に見返したときも、何を書こうとしていたのかわからなかった。ただ、近くに吹き出しとして添えられていた文章に目が留まり、「これは使えるぞ！」と思ったわけです。その言葉が図の右にある「**アイデアは、人**

生と商品の間にある。この図、常に使える」でした。この「吹き出し」のおかげで、この三角形は私の仕事に不可欠なものになりました。そしてその後、仕事はもちろん様々な講演や本で使い続けています。もしあの吹き出しがなければ、この本も書いてないのかもしれません。

このように吹き出しメモは、未来の気づきを与えてくれます。ぜひ、メモにひと言「吹き出し」を添える習慣をつくってください。

さて、次は最後の「まとメモ」についてお話ししましょう。5つめの「まとメモ」は、これからどんどん普及する「**デジメモ検索**」です。

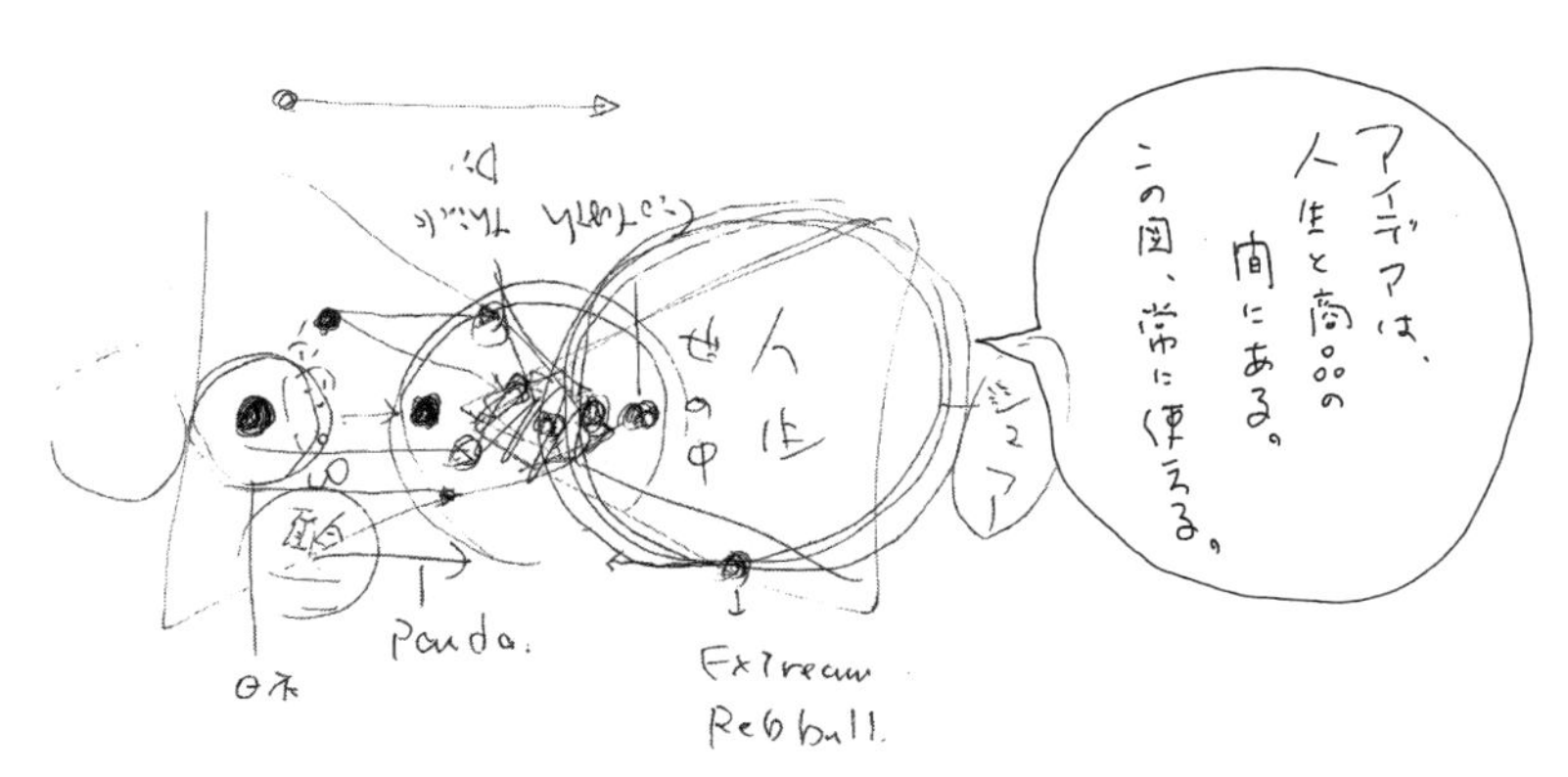

「ワンノートのススメ」

メモ帳を統一してみよう。

バラバラメモから、ワンノートメモへ。

ワンノートは一種類のお気入りノートを決めるだけのメモ術です。なぜ同じノートを使うほうがいいのか？　**それは、同じカタチ、同じ大きさのほうが、習慣にしやすいから**です。同じ新聞を読むとか、同じ時間に起きるというスタイルと同じ。

同じノートを使うことで、メモが習慣化し、やることが当たり前になります。それが、大切。**まずは、無意識にメモする習慣を手に入れるべき**です。

ノートは、できるだけ持ち運びやすく、色のバリエーションがあり、しかも、持っている自分が少し素敵に見えるものがいいです。

たとえば、私は、「Rollbahn」というノートを使い続けています。手頃で扱いやすいサイズのうえに、カラーも豊富で、使っていて楽しくなるからです。

周りでは、「RHODIA」や「MOLESKINE」を使う人もいますね。日本の老舗ブランド「LIFE」や「ツバメノート」もいいですね。

できれば手に入りやすく、そして少しだけ高価なノートがいいと思います。少しでも高いと、使わないのがもったいないし、持っていて嬉しくなりますからね。とはいえ、気に入ったものなら、なんでも構いません。ひとつのノートを決めて、持って歩くことが大切です。

まとメモ

5

デジメモ検索

文字も画像もサクサク探せる。

4次元ポケットのように欲しいメモを取り出そう。

キーワード

手書きのメモは、情報の整理にとても便利です。しかも第2章の「つくメモ」でもお話しするように、アイデアを生むときにも大きな力を発揮します。

いつでもどこでもさっと取り出して、自分の好きな方法で書き、使いやすい方法で情報を取り出せるので、**仕事の効率化にもクリエイティビティの活性化にも、とてもいい効果を生み出す**のです。

だから私はいつもお決まりのメモ帳を持ち歩き、様々なことをメモしています。実際、私はそのスタイルを20年以上続けて、たくさんの仕事で結果を出してきました。

ただ、最近は手書きメモに加えて、デジタルを使った新しいスタイルも活用しています。

それが、5つめのメモ術「**デジメモ検索**」です。

「デジメモ検索」のために、私が使っているのは**Evernote**（エバーノート）と**Googleドライブ**。どちらもメモに使える、とても有名なデジタルサービスですね。

私の場合は、いろんなものを使った後で、使い勝手を重視してこの2つに行き着きました。他にもいろいろなデジタルメモがあり、それぞれに長所短所があるので、いろいろ使ってみて、自分に合うものを選んでください。

検索こそが、最大のメリット

さて、私がデジタルメモを使う最大の理由は「検索」です。

この「検索」だけは、紙のメモじゃできません。とはいえ、「検索」ではできない「出会い」や「創造性」が紙のメモにあるので、一長一短というわけです。だからこそ、デジタルと紙のメモ、2つをしっかり使いこなせれば最高だと思います。

では、私の「デジタルメモ」の使い方をご紹介しましょう。

デジタルメモでまず大切なのは、何も考えず、とにかく、**見聞きした情報や思いつきをどんどん書き込むこと。さらに、インターネットに落ちているネタや絵、そしてアイデア**

の種になるコトもじゃんじゃん入れ込んでいくことです。四次元ポケットのように、どんどん放り込むのがいいでしょう。

そして、**一発でお目当ての情報を「検索」して取り出す。**まるで、ドラえもんがポケットに手を突っ込んでお目当ての道具を一発で取り出すような感覚ですね。

先ほども書きましたが、私にとってのデジタルメモの効用は、デジタルツールとしての便利さでも、持ち歩きやすい手軽さでもなく、**「検索」**です。紙や手書きではできない「検索」を簡単にできるのですから、こんなに頼もしいツールはない。だから手書きとは違う目的で使っているのです。

ただし、その「検索」も、使いこなす技術がないと、宝の持ち腐れ。手書きのメモと同じく、情報はメモしたけど、使わなかった……では、なんにもならないというわけです。では「検索」を使いこなすためには何が必要か？　実はそれも「未来メモ」という意識なのです。つまり、未来に自分が見ることを想定してメモをするということです。

でも、やることは簡単。メモをした後に、**デジタルメモの「タイトル」を少し工夫するだけ。未来に自分が検索しそうなワードでタグ付けするだけ**なのです。

デジメモ検索しやすくする方法とは?

では、実際に私が使ったデジタルメモを見ながら、説明を進めましょう。

次ページにあるのは、東京の天王洲地域の再開発に向けた提案書を考えるときに私が実際に書いたデジタルメモです。タイトルに、文字がいろいろ書いてあるのがわかるでしょうか?

「天王洲」「再開発」「イベント」「都市計画」「アイデア」「重要」「20130127」

普通のメモなら、「天王洲再開発プロジェクト」とだけ書くでしょう。でもそれでは「未来メモ」になりません。なぜなら、未来の自分がこの「デジタルメモ」を参照しようとするとき、**検索ワードとして「天王洲」「再開発」と思いつくとは限らないから**です。

先ほどから説明している「未来メモ」のポイントは、未来の自分が何も覚えていないという前提と、そのうえで、そのメモに出会えるように「下ごしらえ」をしておくことでした。よって、このデジタルでもその下ごしらえはしておきましょう。

天王洲 再開発 イベント 都市計画 アイデア 重要　20130127

コンセプトの整理

コミュニケーションデザインという視点からの
島全体のコンセプト開発。

コンセプトには２つのデザインが関係します。

１つはMDデザイン。
もう１つはコミュニケーションデザイン。

MDデザインは、街を形作るための実際の店舗誘致などを目的とします。
ただしMDデザインのみに特化しただけの街づくりでは、
結果的に魅力的なストーリーが生まれず、
再開発に慣れてしまった世の中に埋もれてしまいます。

コミュニケーションデザインとは、
統一されたコンセプトで集められる商業や環境やイベントが展開により、
島全体を話題化し、雑誌やSNSやPRやクチコミで広がっていくストーリーを
設計することです。コミュニケーションデザインをしっかりと設計することで、
世の中に埋もれないニュースのある街を生み出すことができます。

たとえば、**未来の自分が、この都市開発のメモを、違う気持ちで検索しようとしたときにも出てくるように、いろんな言葉をタイトルに入れ、タグ付けしておく**のです。

先ほどのタイトルにある「イベント」「都市計画」「アイデア」「重要」「20130127」は、将来の自分が「もしかすると検索するかもしれないワード」としてあらかじめ付けておいた言葉。とくに「重要」「アイデア」は、他の仕事でも使える！　と思ったネタのときに、私が常にタグ付けに使っている言葉です。

このように、**自分であらかじめ検索する言葉を決めて、重要だと思うメモには常にそのワードでもタグ付けしておくと、いろんな情報との「出会い」が生まれ、画期的なアイデアにつながること**が増えるのです。

超カンタンなワードで、分類しよう

もちろん、普段の仕事では、案件ごとのキーワードも「タグ」として使います。ただし、それ以外に「いつものタグ」を決めておくと、情報との出会いがよく起こるようになります。たとえば、私の場合、

- **とにかく大切だぞと思ったメモには「重要」。**
- **世の中の流行りについては「流行」。**
- **ビジネスのトレンド情報には「ビジネス」。**
- **いいアイデアだと思ったものには「アイデア」。**
- **本や雑誌原稿のネタになると思ったら「本」。**

というワードを「いつものタグ」として使っています。これを約束にすることで、かつて自分が「重要だ！」と感じたことがすぐに検索できますし、「アイデア」が欲しいときにも、パッとその内容に出会える。これはとても便利だと思います。

ここで大切なのは、「タグ付けのワード」は大雑把（おおざっぱ）がいいということ。細かく分類してしまうと、まったく使えないタグになるからです。

以前私は、その「細かなタグ」で恥ずかしい失敗をしたことがありました。

そのタグの言葉は**「エシカル」**。「倫理的」「道徳的」という意味の言葉ですが、今では、ファッション用語や、環境保全、フェアトレードなどのソーシャルグッドなモノの用語としてよく使われています。私は以前にその「エシカル」について書かれた記事と出会って「重要だ」と思い、デジタルメモにしておいたのですが、タグ付けは「エシカル」としか書いていませんでした。

その後、あるファッション関係の討論会で、直前に「エコとファッション」の話をすることになり、私はおぼろげにもそのメモを思い出しました。そしてその場で「検索」をし始めたのですが、どうしても「エシカル」というワードが出てこない。他の言葉でなんとか検索しましたが、やっぱり見つからない。結局、あたふたしてる間に話す時間になり、しどろもどろになったというわけです。顔が赤くなって、汗だくになったのを覚えています。

「エシカル」をタグにしてデジタルメモしたときは、そんな恥ずかしいことになろうとは想像もせず、「エシカルは有名な言葉だから間違いなく覚えているだろう」と思ったのです。**でも、結局、思い出せなかった。**あのときもし、「ファッション」「流行」「重要」などをタグ付けしておいたら、きっと、なんらかの方法で「エシカルの記事」に行き着き、その場でいい話ができたのだと思います。

それ以後、少し邪魔くさいなと思っても、いくつかの「わかりやすい」ワードでタグ付けする習慣を欠かしません。

だからもう、恥ずかしい思いもせずに済むというわけです（笑）。

このように、タグ付けするワードは、できるだけ「よく使う言葉」のほうがいいでしょう。たとえ重要なキーワードだから大丈夫と思っても、初めて聞いた言葉やオリジナルの言葉は、時間がたつと忘れる可能性が高いからです。必要なのはそのメモと再会することなので、**タグはいつも使う言葉やカテゴリーを象徴する言葉がよく、しかも、複数の言葉をタグとして入れておくほうが使える**というわけです。

ちなみに先ほども書いたように、私は、大切なデジタルメモに「重要」というタグを付けています。もちろん「重要」というメモは増えるのですが、そういうタグを付けることで、**「重要な」メモを見る頻度が増えるので、結果的に「情報との再会」が増え、面白い発見にたどり着くことが多くなるから**です。

さらに、目立たせるために「★」

タグ付けで大切なのはとにかく「細かい言葉だけでタグ付けしない」ことです。タグ付け始めると、より細い言葉で、より正確にタグ付けしたくなりますが、それはご法度。細かいタグ付けだと未来の自分は確実に忘れているので、タグの意味がなくなります。でも、「アイデア」とか「重要」だと、大雑把すぎて使えなさそう、という人は好きな言葉でタグ付けした後、その**タグの頭に「★」を付けてください。さらに重要ならその「★」を増やしていく。**私も実際に「★」を付けてタグ付けしていますが、重要なメモとしてすぐ見つかるので便利です。

もちろん、最近のデジタルメモの検索機能は非常に高性能なので、文章中の文字はもちろん画像の中の文字までも検索することができます。だから細かなワードでも実際は検索が可能です。でも、「アイデア」「重要」「★」などのタグを付けるほうが、未来での検索が容易なうえに、**同じタグが付いた他のメモまでまとめて見ることができるので「予期しないアイデアとの再会」**も多くなる。それはとても魅力的です。

このように「デジメモ検索」を使いこなせば、面白い「再会」がいっぱいできます。それはとても刺激的な体験ですし、会議の話題や次の仕事のネタ探しなど、いろいろなシーンで活用できることでしょう。

ちなみに、本書『すごいメモ。』も、そんな「デジメモ検索」を活用して書きました。数年前からいろんなアイデアをメモしたときに、「いつか本を書こう」と思って、「本」「メモ」「アイデア」「重要」というタグを付けておいたのがきっかけなのです。

そして、実際に本を書くときに、それらのタグで検索して、そのときのアイデアとまとめて再会した。それがいま、こうしてみなさんに読んでいただいている「本」になっているのです。この本の中の、たくさんのメモのアイデアは、メモから生まれた。メモ術を実践したことで生まれた本当の成果というわけです。

さてここまでに5つの「まとメモ」を紹介してきましたが、いかがでしたでしょうか？情報を整理したり、考えをまとめる方法を知るだけで、いつものメモが格段に使えるようになるとわかっていただければ嬉しいです。

さて、それでは次の章に移りましょう。次は「未来メモ」の真骨頂、「**つくメモ**」です。

第2章

つくメモ

メモからアイデアをつくり出し、
仕事をドライブさせる6つのメソッド

カタイ仕事にこそ、クリエイティブを

突然ですが、最近、よく**「クリエイティブ」**という言葉を耳にします。

映画やテレビ、音楽業界ではもちろん、メーカーや銀行、官公庁の偉い人ですら口を揃えたように「クリエイティブが必要だ」という言葉を使うようになってきました。スティーブ・ジョブズのような人の存在もあり、どうやら、これからのビジネスを指し示すうえで重要なキーワードになっているようです。

でも、「自分の仕事に『クリエイティブ』が必要なのだろうか？」と疑問を感じている人も意外なほど多いと思います。

さらに、クリエイティブなんてただの流行で、すぐに忘れられるカタカナ英語のひとつ。今の自分にも、未来の自分にも関係ない。そう考えている人も多いと思います。実際に私が仕事をしている企業のみなさんからも、そんな声がちらほらと聞こえてきます。

でもそれは間違いだと、私は思います。

やっぱり「クリエイティブ」はこれからの時代に大切だし、すべての人にとってアイデアを考えることはとても重要だと思うのです。たとえば、こう考えてみたらどうでしょう？

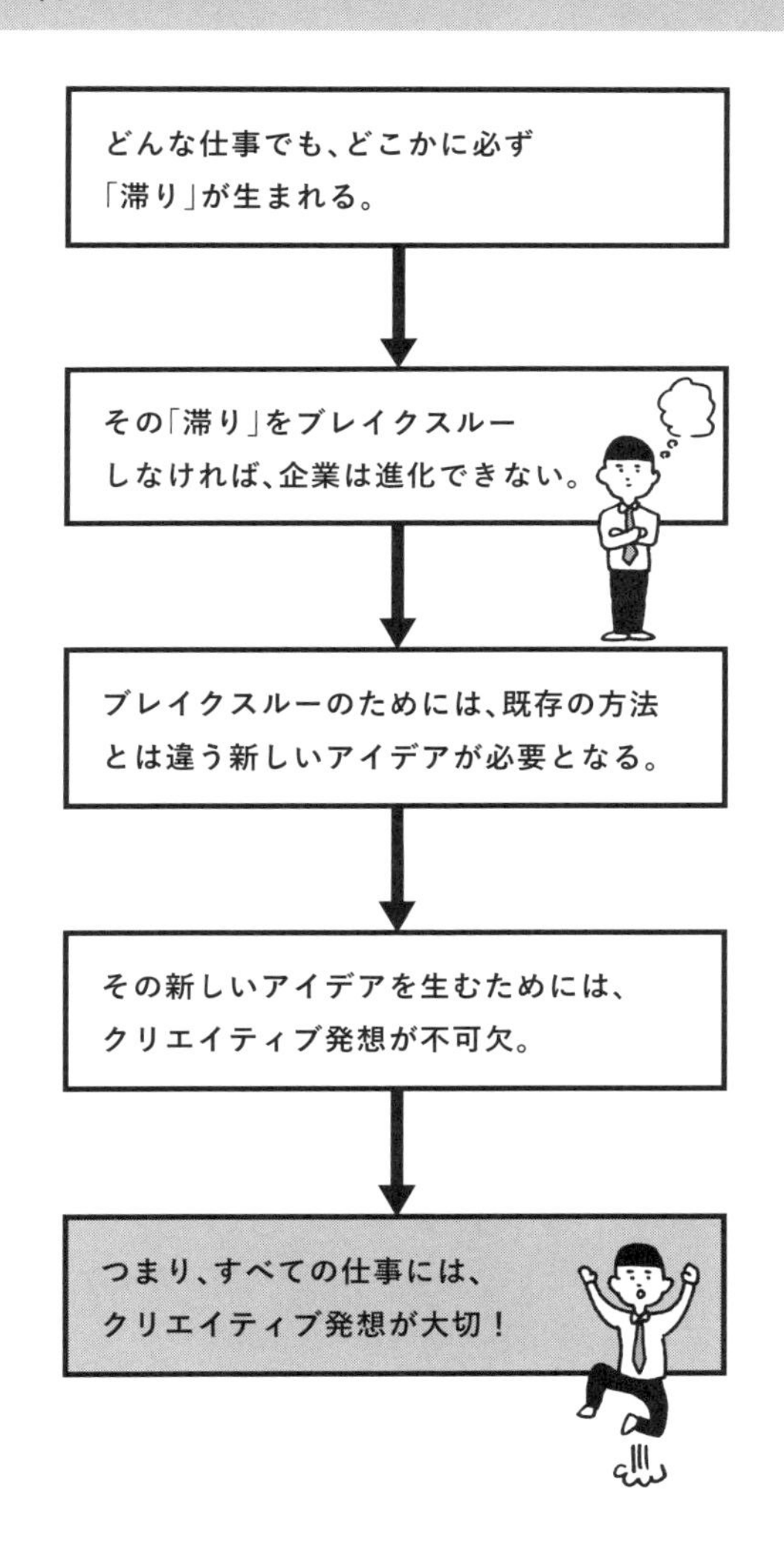
どんな仕事でも、どこかに必ず
「滞り」が生まれる。
その「滞り」をブレイクスルー
しなければ、企業は進化できない。
ブレイクスルーのためには、既存の方法
とは違う新しいアイデアが必要となる。
その新しいアイデアを生むためには、
クリエイティブ発想が不可欠。
つまり、すべての仕事には、
クリエイティブ発想が大切！

こう考えれば、やっぱり、すべての人に「クリエイティブ」発想が必要だとわかります。

さらにこれからは、世の中のニーズが分散し、新しい技術も次々に生まれるので、様々なことが「これまでの方法」ではうまくいかなくなる時代になります。だからこそ新しいアイデアを考える「クリエイティブ発想」が必要というわけなのです。

とはいえ日本の会社は、まだまだ「カタイ」。**だからこそ、しっかりとしたメソッドに従ったクリエイティブが必要になってくると思うのです。**

そこでご紹介するのが「つくメモ」。

メモでクリエイティブ発想を得るという画期的なメソッドです。すべての人が、意外なほど簡単にアイデアを生み出せる方法です。**これまで「自分はクリエイティブとは無縁」と思っていた人も、簡単なメソッドを実践するだけで、知らないうちにクリエイティブ発想になれます。**

やることはただひとつ。メモの使い方を覚えるだけ。それだけで、いつもの仕事にクリエイティブ発想を使えるようになります。

さて、どうすればその発想が手に入るのか。早速、第一歩を踏み出しましょう。

つくメモ
1
ハードルメモ

誰でも、いつでも、どんな仕事でも。あるメモを書けば、アイデアが考えやすくなる。

タイトルが決まると、中身がすごく書きやすくなる。それは、小説や書籍の世界でよく言われていることです。

私も、この本のタイトルが決まってないときはなかなか思うように書けず悶々（もんもん）としていましたが、一度『すごいメモ。』と決めると、すらすらと書けるようになりました。

なぜか？　それは、「メモのすごい効果を書けばいい」というルールができたからです。

ルールがあると、人は考えやすくなります。たとえば、子どもたちに「自由に素敵な絵を描きなさい」と言うと、ちょっと困ってしまうのですが、「3色だけ使って素敵な絵を描きなさい」と言うと、目を輝かせて、どうしようかと考え、驚くほど素敵な絵を仕上げたりします。

これは、「3色でどうすればいいのか？」という難題に向けて考え始められることでとっかかりが生まれ、自由なときよりも考えやすくなり、かえって柔軟に発想できるから。人は本当に、ルールがあるほうが、考えやすいわけです。

さて、これと同じことはビジネスでも言えます。「自由でいいから、とにかく現状を打破するアイデアを考えろ」なんて言われたら、とっかかりがなさすぎて困ってしまいますよね。私なんか考え始めるまでに三日三晩悩んでしまいそうです。よくカッコつけた上司が「とにかく自由に面白いことを考えろ。俺が責任を持つ！」とか言って鼻息を荒くしますが、あれは本当にやめてほしい。見栄っぱりの最悪なディレクションだと思います(笑)。

それとは逆に、現状の課題と要件から、考える範囲を絞り、そのうえで**「この狭い範囲で面白くしろ」というディレクションをする人は、とてもいい上司**です。

実は、ある有名メーカーの方から、次のよ

うな嘆きを聞いたことがあります。

「社長がね、『３分の１のコストで、クオリティを上げて、現状を打破しろ！』なんて、無理難題を言うんですよ……」。

たしかに、無理難題ですよね。でもその人のチームは毎日そのことを討議し、なんと数カ月後に、その「無理難題」を解決してしまったのです。

ハードルがあれば、それを超えるという目的が生まれ、アイデアが考えやすくなる。さらにそのハードルが高ければ高いほど、人はそれを超えることに全力を投じ、熱中するのです。

優秀な経営者が、よくこのような「無理難題」を言うのは、そのような言葉で人の能力を引き上げる術を知っているからだと、私は思います。

このように、ビジネスの効率を上げ、さらにいいアイデアをつくるための考えるルールを生むメモが、「つくメモ」のひとつめ、**「ハードルメモ」**。**目的を明示して、超えるべきハードルを生み出すことで、考えるきっかけを生み出すメモ術**です。

ハードルメモが、目的ときっかけを生む

ここまでお話ししているように、自由に発想するのではなく、**ハードルを設けて、それを超えることをルールにすると、アイデアの質は確実に向上します。**そのようなルールをつくることを私は**「思考のルール化」**と呼んでいますが、そのルール化はすべてのビジネスに当てはまると思います。そして、「思考のルール」があれば、誰もがもっと簡単に、もっと効果的に仕事ができるようになる。そのルールをつくるのが「ハードルメモ」なのです。

でも、メモで仕事のハードルをつくるなんて、聞いたことがありませんよね。それどころか、仕事に「思考のルール」を持ち込むのも、あまり前例を聞いたことがないと思います。たとえあったとしても、難しいマーケティングロジックを用いたコンサルタントや経営者向けセミナーの講師が話すぐらいです。でもそういうのはたいてい難しすぎて、日常の仕事で使えないものが多い。それでは意味が無いですよね。

特別な場面で、特別な人しか扱えない難しいロジックは、私たちには必要ない。だから

私は、コピーライティングの手法を使いながら、誰もが、普段の仕事で使える「思考のルール化」メソッドを考えてみたわけです。つまり、今回の「ハードルメモ」は、**メモという身近な技術を通じて、思考のルールを生み、アイデアを考えやすくして、ビジネスを活性化させるメソッド**なのです。

このハードルメモがあれば「目的」がはっきりするので、チームや得意先とアイデアのゴールイメージも共有しやすくなり、会議なども進行がスムーズになります。さらに、「ハードル」を超えることが、**「チームの合言葉」**になり、結束力も高まります。

このようにビジネスにとって効果が高い「ハードルメモ」。すでに世の中にある例を挙げて、もう少しわかりやすく説明してみましょう。

たとえば、帝国ホテルが社内向けに使い続けてきた「ハードル」があります。

「さすが、帝国ホテル」

簡単すぎる言葉ですよね。でも実際に帝国ホテルでは、すべての従業員たちが、お客様から「さすが、帝国ホテル」と言われるようにと考え、行動しているのです。

接客スタッフはもちろん、レストランのシェフも、ハウスキーパーも、クリーニングスタッフも、**どうすれば「さすが、帝国ホテル」と言われるようになるかを考えてアイデアを出し、行動しているわけです。**

これが、思考のルールを生み出して人の行動を促す「ハードルメモ」の力。たった1フレーズが、帝国ホテルの「さすがだな……」と人を感心させるサービスにつながっているのです。いやはやすごいですね。

「ハードルメモ」は、このように仕事のハードルとなる1フレーズを生み出し、すべてのビジネスを活性化させるメモ術。みなさんもすぐに始めてみればいいと思います……。なんて書くと、ほんどの方から「そんなの無理だろ！」と怒られそうですね。でも、心配ご無用。実は、超簡単に「ハードルメモ」が書ける秘訣があるのです。

3秒で書けるハードルメモ

では、たった3秒で書けるハードルメモをお教えしましょう。やるべきことはとても簡単。仕事の目標を、ほんの少し変えてメモするだけです。仮に、こんな目標があったとします。

「30代女性に売れる新商品をつくる」

これは、よく見るタイプの「目標」ですが、このままでは、なんだか考えづらいですし、「さすが、帝国ホテル」のように人の行動も促しません。それはまだ「思考のハードル」になっていないからです。

では、こうすればどうでしょう?

「それは本当に、30代女性に売れる新商品**か?」**

これなら考えやすいと思いませんか?　実は、**これが「ハードルメモ」**。3秒もかけずに効果を上げる魔法のメモ術です。さらに、

「競合店に打ち勝つ集客企画を考える」の場合は、

「それは本当に、競合店に打ち勝つ集客企画**か?」**。と変えるだけ。

先ほど挙げた、帝国ホテルの目標が、たとえば「帝国ホテルのサービスを向上する」だったとすれば、**「それは本当に、帝国ホテルのサービスを向上するか？」**となります。

ほら、「さすが、帝国ホテル」と同じように、スタッフの行動を促しますよね？　しかも、サービス向上を考えるきっかけも生んでいる。これだけで、十分に「思考のハードル」になっているわけです。

大切なのは「ハードル化」です。そして「ハードル化」のためにやることは簡単！　ビジネスの「目標」を少し変えてメモするだけ。

「それは本当に、○○○するか？」

これだけで考えるきっかけになり、アイデアのハードルになるのです。「たったそれだけ？」と思われた方も多いと思います。でもそうなんです。たったこれだけ。でも、**このハードルがあるだけで、考えるアイデアは格段によくなり、会議の目的もわかりやすくなる。**結果的に、ビジネスが大きく変わります。

その理由はもちろん、**目標が「ハードル化される」から**なのです。

ハードル化されると、行動しやすくなる

ハードル化。耳慣れない言葉ですよね？　でもこれ、広告などの企画をするときに私がよく使う言葉なんです。

人は目標を達成しようとするとき、いろんな可能性を考えすぎて、混乱し、動けず、結果的に正しい判断ができないことがあります。どんなアイデアを考えるときも、課題がわからなければ、どんなブレイクスルーを生めばいいかがわからないし、何がゴールかもわからなくなる。そうなるといいアイデアなんか出てきません。

だからこそ思考のルールとしての「ハードル」が必要なのです。**「超えるべき目標」を設定することで、必要**

なアイデアの方向性がわかり、かつ、アイデアの良し悪しを判断する基準ができるというわけです。

みなさんの仕事を思い出してください。

「目標」はあっても、そのために解決すべき「課題」があやふや、なんてことが多くないでしょうか？

たとえば、先ほども挙げた「30代女性に売れる新商品をつくる」という目標だけでは、どう考えていいかがよくわかりません。でも、少し言葉を変えて「それは本当に、30代女性に売れるか？」にすると、考えやすい「課題」になる。「売れるかな？」「これじゃ売れないでしょ」という判断基準にもなる。そして、**考えたことがハードルを超えたアイデアかどうかを見極めるための「合言葉」にもなり、チーム全員が同じレベルで考えられるきっかけになるのです。**

本当に小さな言葉の変化なのですが、**目標の「ハードル化」ができれば、普段と比べて、仕事の質も、会議のスピードも、企画の面白さも格段に変わるのです。**

合言葉で考えよう！

先ほど、「ハードルメモ」があると、それが「合言葉」になり、ビジネスの質が向上すると書きました。「ハードル」があれば、会議で何かアイデアが出たときに「それは本当に○○○を実現するか？」と誰もが心に思い、同じレベルで発言し、アイデアの良し悪しを問えるので、より効果のあるアイデアが生まれるのです。また、「ハードルメモ」という共通基準があることで、会議の効率が上がり、結果的に仕事の質は飛躍的に高まるというわけです。

さて、このハードルメモ。実は、単に仕事をハードル化するだけではなく、**そのまま会議の名前にしたり、提案する企画書のタイトルにすることもできます。**

下の企画書を見てください。タイトルがちょっと魅力的でしょう？　ありきたりの文字が並んでいるだけよりも、やる

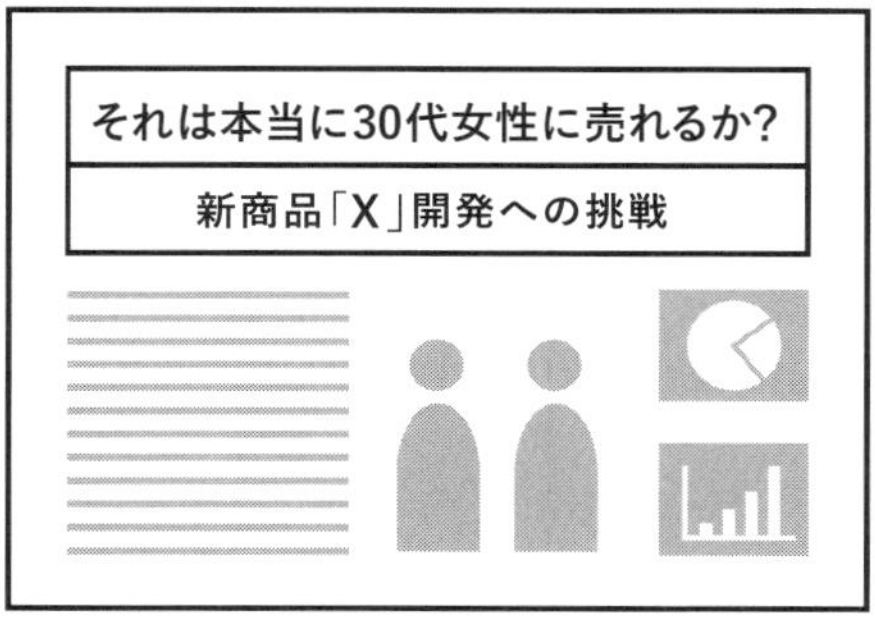

べきことがわかりやすいし、熱がこもっている。何より中身が見たくなりますよね。NHKでドラマ化されそうなぐらいです。このように、ハードルメモをタイトルにするだけで、誰もが中身を見たくなるような企画書に変わるのです。

ところで、私はこの「ハードルメモ」を実際の仕事にもたくさん使ってきました。たとえば、以前、私の会社で「東京女子プロジェクト」というサイトを運営していたことがあるのですが、そのときも**「それは本当に女の子を幸せにするか？」というスローガンを掲げて、日々企画をしていました。**

そうすると、そのプロジェクトに関わっているすべての人が会議に「これは本当に女の子を幸せにすると思うんです」と言いながらアイデアを持ってくるようになったのです。つまり**会議の合言葉ができた。**こうなると突如、企画の精度が高くなります。

なぜそうなるのか？　まずアイデアのハードルができるので考えやすくなる。さらに、その**ハードルを超えたアイデアだけを選んで持ってくるようになる。そして、女の子を幸せにするという「大義」ができることで、参加する人のモチベーションが上がる**からです。

ひとつの**「合言葉」があるだけで、考える、打ち合わせる、選ぶ、伸ばす、のレベルが上がる**わけですから驚きです。

また、この「ハードルメモ」は、アイデアを企業などに提案するときにも効果がありま

す。たとえば、女子向けの新しい生理用パンツを企画したときも、

新しい生理用パンツのアイデア　by 東京女子プロジェクト

というタイトルの企画書で提案するよりも、

それは本当に、女の子を幸せにするるか？
東京女子プロジェクトが考える新しい生理用パンツのアイデア

というタイトルで持っていくほうが、相手企業の興味も湧くし、こちらのやる気も伝わります。ただタイトルを変えるだけで提案の効果が上がるのですから、タイトルを付けるに越したことはありませんよね。だってただ、「それは本当に○○を××するるか？」と書くだけ。それだけで、魅力的な提案になるのですから。

言葉ひとつで会議を動かせ！

これまでも書いてきたように「ハードルメモ」はとても簡単な技術で、大きな効果を得ることができる「つくメモ」です。さらにこのメモ術は、**少し手を入れるだけで、チームのモチベーションを上げる特効薬にもなります。**

先ほども「大義」ができることで参加する人のモチベーションが上がると書きましたが、チームの目標設定として、常に「大きな目標」や「大義」というハードルを掲げることで、チームのやる気を格段に上げることができます。たとえば、

- **それは本当に、ナンバーワンヒット商品になるか？**
- **それは本当に、その企業を業界1位にできるか？**
- **それは本当に、日本の未来の環境に貢献するか？**
- **それは本当に、すべての子どもたちを幸せにするか？**
- **それは本当に、世界平和につながるか？**

どうですか？　こんな目標が書かれたメモを見て仕事をすると、頑張ろうと思いませんか？　実際、私はどんな仕事のときにも、まず大きな目標を「ハードル」にして、そのメモを見ながら仕事をしています。そうすることで、小さな視点での仕事に縮こまらず、**大きな視点でアイデアを考えられるようになるから**です。

この本を書いている今も、実は「この本は本当に、日本のビジネスをよりよくするか？」というメモを見ながら執筆しています。そうすることで、ただのハウツー本ではなく、本当に日本のビジネスをよくするためのアイデアが詰まった本になると思うのです。

このように「大きな目標」や「大義」を掲げて仕事をするのは、もちろん私に限ったことではなく、これまで出会った多くの経営者の方も実践されていました。

たとえば、ラーメン店**「博多一風堂」**の創業者、河原成美（かわはらしげみ）さんは常に**「それ、本当に日本食の素晴らしさを世界に伝えるの？」**と会議で話されますし、不動産情報サイト**「HOME'S」**を運営している株式会社ネクストの井上高志（いのうえたかし）社長も打ち合わせをすると常に**「それは本当に世界を平和にしますか？」**と私に問いかけられます。

世の中の人々が企業のエゴを受け入れない時代だからこそ、もっと大きな視点で、世の中をよくするテーマを掲げてアイデアを考えるのは、ビジネスを活性化する意味でも大切なこと。**「ハードルメモ」はこれからの時代に向け、より大きな視点を生み、意識を高めるために効果的なメソッドにもなるのです。**

このように、たったひとつのメモ術を覚えるだけでも本当に大切なことが見えてくる。それも未来メモのひとつの効果。そして「つくメモ」のパワーでもあります。

いかがでしょうか？「つくメモ」の1つめ「ハードルメモ」。

簡単な方法で「ハードル」をつくることで、仕事の目的を明確にし、アイデアを出しやすくしたり、伝わりやすくすることができるメモ術でした。アイデアを考えるときはもちろん、会議を進行するときにもかなり使えるメモ術ではないでしょうか？

さて、次は、さらに深いメモの世界へ進みましょう。

アイデアを生むための「つくメモ」。その2つめは、**「マンガメモ」**です。

「一会議十メモ」

頑張りすぎないメモの取り方。

三日坊主になる人の特徴は、初日にものすごく頑張って、2日目以降続かなくなる人だそうです。

いろいろ考えてあれこれやろうとすると、やるのが億劫になるからですね。

続けるためには、まず、簡単にできることが大切。目指すのは、負担は少なく、効果は大きく。それはメモも同じ。

なんでもメモしようとか、うまくメモしようとすると、とたんに難しくなって、続かなくなります。

未来メモで大切なのは、続けること。ずっと続けると、未来にたくさんの情報と出会えて、仕事に大きな成果が生まれるからです。

そこで、頑張り過ぎないメモの取り方を、ご紹介します。

一会議十メモ。

1回の会議で、10個だけメモを取ろうという方法です。もちろん、それより多くても、少なくてもいいのですが、目安として、10個ほどのメモを取る。

それだけならそんなに辛そうじゃないでしょ？　しかも、**10個と決めると、どれを書こうかと考えて、集中するので会議の内容もスーッと頭に入ってきます。**

一会議十メモ。ぜひ、次の会議で実践してみてください。

つくメモ

2

マンガメモ

大切な仕事なら、まずマンガを書く。
ゴールや必要なアイデアがくっきりと見えてくる。

ここまでにも述べているように、工夫なしに書かれた文字だけのメモは、ただの情報のカタマリにすぎません。読みにくいし、考えるとっかかりもないから、ただただ扱いにくい。だからこそ、そこに「○」や「↓」を書き込み、整理して、考えやすくして、「使えるメモ」にする。それが未来メモの1つめ、「まとメモ」の極意でした。

その「まとメモ」を進化させて、アイデアを生む土台にしたのが、2つめの「つくメモ」、この「**マンガメモ**」です。

人は、文字だけよりも**絵やマークが入っているほうが、より多くの情報量を簡単に得ることができ、内容への共感度も上がる**と言われています。だから「マンガ」は読みやすく、理解も早いのですね。この「マンガメモ」は、そのような「マンガ」のよさをビジネスに活かせないか？　という考えから生まれました。**イラストとセリフ**というマンガの要素を活かして、**よりスムーズに、より鮮烈に情報を伝え、想像力を刺激するのが目的です。**

第1章の「まとメモ」で話したように、メモは、吹き出しや記号を入れることで、より臨場感のある情報となります。この「**マンガメモ**」**は、そこにイラストやセリフを追加することで、メモの中に共感できるポイントを増やします。まさに「マンガ」のように、楽しみながらアイデアを生むメソッド**です。

脳が歓ぶメモを書く

話は変わりますが、私は人の名前を覚えるのがとても苦手です。なのでいつも、勝手なアダ名を付け名前と関連させて覚えるようにしています。そうするとたくさんの人の名前が覚えられるのですが、それは、アダ名という「脳にとって面白い情報」と組み合わせることで、脳が積極的に顔や名前を記憶するようになるからだと聞きました。

脳は、当たり前のものは忘れ、新しいものや、意外な発見、ユニークなものを歓んで覚

えます。昨日の夕食を忘れるのは、脳にとってその情報がルーティンでつまらないからなのですね。さらに、**脳には、単体の情報は忘れやすくストーリーは覚えやすいというクセもあります。**つまり、いくつかの情報を的確に覚えやすくするには、真面目に一つひとつ覚えるよりも、それらをユニークなストーリーに変えて、面白い情報にしたほうがいいということなのです。たとえば、

亀、女子高生、キティ、カラオケ、宿題、500円、雨、コンビニ

このように脈絡のないことを覚えるのはとても苦労しますよね。これを一つひとつ覚えていっても、必ず何か忘れそうです（笑）。でもこれならどうでしょう？

女子高生が宿題を終えてカラオケに行った帰り、雨が降ってきたので、コンビニに寄り、キティのサイフから500円を出して傘を買ったら抽選で亀が当たった。

かなりナンセンスなストーリーですが、これなら情景が浮かび、そのイメージごと覚え

ることができますよね。このように、**情景が浮かぶとイマジネーションも膨らみ、共感が高くなり、脳が活性化するのです。**

私は、先のストーリーでこの8個の言葉を一瞬で覚えました。一度、みなさんも試してください。意外なほど簡単に覚えられることに驚かれるでしょう。

その理由は、脳が楽しんでいるから。脳が歓ぶことをすれば、覚えたり考えたりする能力が向上するというわけです。

そこで私は、脳が歓ぶことをメモに応用できないか？　と考えました。

その答えが、このマンガメモ。脳が歓ぶことを組み入れたメモ術です。

ただの情報のカタマリでは苦痛だったことも、イラストやセリフがあるだけで、情景が思い起こされ、物語が想像できて、しかも**イマジネーションが膨らむ。考えるのが楽しいから、新しいアイデアも出やすくなる。**この「マンガメモ」はその効果を狙ったメモ術なのです。

名前とセリフでメモしよう

では、早速、その「マンガメモ」について説明していきます。

まず、あなたが仮に新商品開発プロジェクトに参加したとしましょう。今まさに、その商品を広告するため、プロジェクトに参加している各部署の意見を集約しています。

- 技術部の意見「3つの新しい技術を伝えてほしい」
- デザイン部の意見「薄くて、丸みのあるデザインが売り」
- 営業部の意見「とにかく新しくて安いと伝えたい」
- 上層部の意見「バーンとインパクトのある広告だ！」

普通はこれらの意見を、右のように、文字で羅列することになりますが、文字ばかりだとそもそも伝わりにくいし、ちょっとギクシャクしますね。お互いの立場もわからないし、なんだか難しい課題に思えて、新しいことや面白いアイデアもちょっと考えづらくなりそうです。そこで、この4者の似顔絵と部署を描いて、セリフとして入れてみました。

この4人の意見を同時に
解決するアイデアは？

どうでしょう？　ただ似顔絵を描いただけですが、これだけでも、より臨場感がアップして、わかりやすくなったと思いませんか？

実は、ただの情報も、人のセリフとして書くと、より共感しやすくなるのです。**似顔絵があることで情報が視覚化されて見やすくなるのと同時に、ただの冷たい意見がエモーショナルになり、内容が飲み込みやすくなるから**です。

そして何より、このマンガメモを見ながら**「この4人の意見を同時に解決するアイデアは？」と考えれば難しい課題でもちょっと楽しくなる。それが大切です。**さらに、似顔絵を少し「笑顔」にするだけで、より前向きに、気持よくアイデアが考えられるようになったりします。本当に小さなことですが、この「楽しい」というのが脳にとって大切なことなのです。

先ほども書きましたが、そもそも脳は、楽しいことを覚えたり、考えたりするのを好みます。だから、**難しい案件であればあるほど、どこかに「楽しさ」を生み出すべき。**本章の冒頭にも書いたように、カタイ仕事にこそクリエイティブ発想が必要なのは、そういうことも理由なのです。

だからこそ、いつもの作業や会議や書類の中に、どこか楽しさが生まれるよう工夫するのが大切。**そうすることで、脳は歓びを感じ、頑張って覚えたり考えたりしようとする**のです。

　難しい文章を文字だけで読むと、ちっとも頭に入らないのに、マンガで読むとスラスラ読めて、しかも内容を覚えてしまうのと同じですね。

　みなさんもぜひ、メモにイラストやセリフを加える「マンガメモ」を実践してください。効果は驚くほど出ます。


「おいおい、そんなこと言われても、マンガなんか描けないよ！」という声が聞こえてきそうですね。

　そうです、みなさんは漫画家ではありません。もちろん、デザイナーでもイラストレーターでもないでしょう。専門家ではないみなさんにいきなり「イラストを描いてください」と言っても、もちろん難しい。実は私も、絵が苦手でイラストを描くのが本当に下手でしたから、その気持ちはすごくわかります。

　でも、大丈夫。まずは、誰にでも描けるマンガメモの「棒人間」がいます！

棒人間だけでも、頭は整理できる！

まったく絵なんか描けないよ。そんな人も、棒人間なら描けます。**描き方は本当に簡単。丸と線を使い、下のようにそれぞれの特徴を少し描き分けるだけです。**「マンガメモ」はこの棒人間と、名前とセリフを書くだけで十分。それだけでも状況がイメージできるので、文字だけのときよりもはるかに頭は整理され、必要なこともスムーズに理解でき、アイデアも膨らむのです。

たとえば、化粧品の新製品開発について、この棒人間とセリフを使って考えてみましょう。まず、ターゲットを選び、それぞれの意見を集約してみます。最初は文字だけでメモしてみましょう。

棒人間の描き方

・主婦＝高いのは使えない／効果は高いほうがいい
・女子大生＝友達に自慢したい／みんなと同じじゃイヤ
・ＯＬ＝いいものを持っているように見せたい／No.１のモノなら買う

　このターゲット三者を満足させる化粧品を開発するわけですが、右のように文字だけで書くと、それぞれの意見はわかってもどういう人なのか？　何を考えるべきなのかがぼんやりしています。
　そこで、下の図のように、棒人間とセリフでマンガメモにしてみました。文字だけのときよりも少しターゲットがはっきりしましたね。さらに、どのタイプの人が何を言っているのか？　もわかるようになりました。ターゲットもイメージしやすくなるので、**その人たちをイメージしながら、みんなが微笑むような商品は何か？を想像しやすくなったと思います。**

高いのは使えない／効果は高いほうがいい
（主婦）
友達に自慢したい／みんなと同じじゃイヤ
（女子高生）
みんなが欲しいのは、どんなコスメ？
いいものを持っているように見せたい／No.1のモノなら買う
（OL）

たとえ棒人間だけでも状況や立場を「イラスト」と「セリフ」で視覚化すると、ターゲットがイメージしやすくなり、アイデアも考えやすくなるのです。

第4章でご紹介する作家の伊坂幸太郎さんも、小説を書く前に必ず、まさにこのような棒人間のイラストを描いて、小説の登場人物や状況、設定をつくり、何が起こり、何を書くべきかをまとめていくそうです。すると、**ストーリーがリアルにイメージでき、そのときに必要な言葉や、あるべき状況が考えられる**ようです。

マンガにすることで、誰がどうしたいのか？　時系列でどう動いて、何を求めているのか？　なども手に取るようにわかるのですね。

このようにイラストを使ってリアルに想像して答えを導くのは、もちろん小説の話だけではなく、どんな仕事にも活用できる技術。イラストを見ながら徹底的にターゲットをイメージし、**彼らがどういうことで歓び、どういうこと**

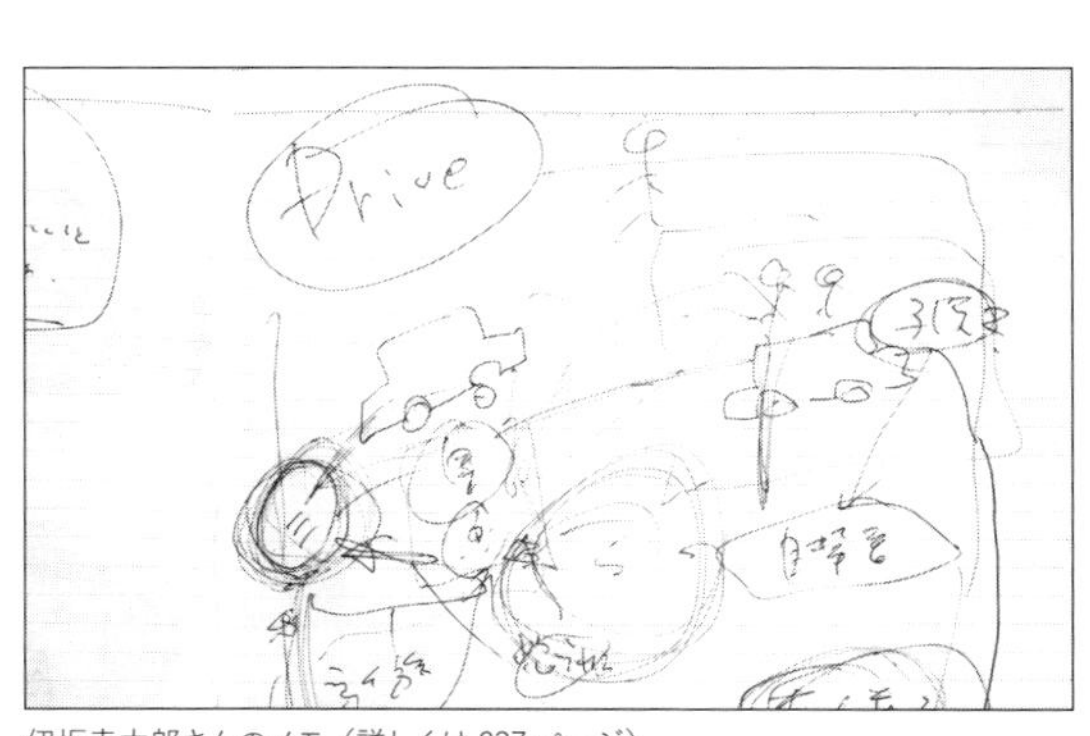

伊坂幸太郎さんのメモ（詳しくは 237 ページ）

を嫌がるのかを想像することで、本当に必要な答えを導き出すわけです。

どんな仕事でも同じです。文字だけ書いて唸（うな）っているより、こうしてマンガ化するほうが、はるかに効率的にいいアイデアにたどり着けます。一度、試してみると、驚きの効果が出るでしょう。

誰でもイラストがうまく描ける４ステップをご紹介！

さて、棒人間でも十分に効果的だということがわかっていただけたと思いますが、「もう少しだけうまく描きたい」という方もいらっしゃると思います。

そういう方には、こちらがおすすめ！　下手な私でも簡単に描ける、イラストの描き方です。

実は、私もこれでイラストが描けるようになりました。覚えるとちょっと面白いので、簡単にその方法をお教えしましょう。

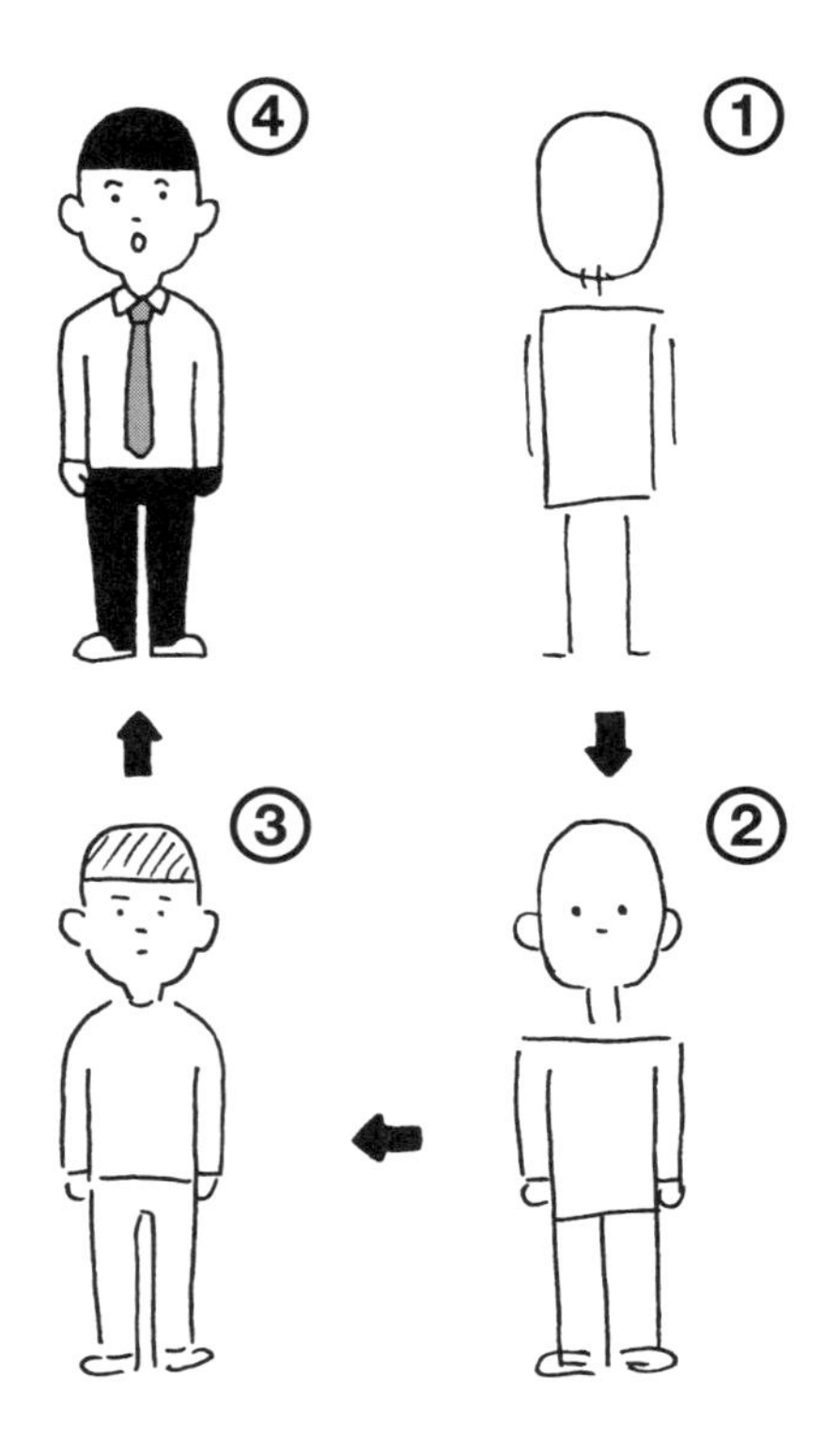

① 楕円と四角形で顔と胴体を書きます。
そこに線を書いて手足にします。

② 顔に点々を書き入れます。腕や足も書きます。
上手くなくても大丈夫！

③ 線を書いて髪の毛に。
あとは必要のない線を消しましょう。

④ 顔は、驚いていたら、口を開け、怒っていたらへの字。
笑っていたら笑顔にしてください。
最後に、ネクタイやシャツのカタチ、
女性ならスカートを描けばオッケー。

右の順で実際に描いてみると、「もしかして自分には才能があるのでは？」と思えるほどいい絵が描けます。

もちろん、会議中にイラストを描いていると意識が散漫になるので注意が必要ですが、何かを考えるときにイラストを描きながらまとめると、とても考えやすくなります。ぜひ一度、実践してみてはいかがでしょうか。

さて、こういうことを話をしていると、ときどき「そんなのは文字だけでもできる」と言う人もいます。もちろん文字だけでできる場合はそれでもいいと私も思います。ただ**マンガメモにすると、ターゲットの気持ちや問題意識、攻略ポイント、今後やるべきことが、感覚的にとらえられる**のです。

「マンガメモ」なら、メモが「情報」だけにならず、**「情報＋感情」**になるので、想像力が膨らみ、アイデアにつながります。まさに**難しい案件をクリエイティブに考えるときに必要なメモ術**なのです。

マンガメモが世の中を動かした！

では実際に、この「マンガメモ」の手法が世の中を動かした例をお話ししましょう。みなさんご存じの「**ハイボール・ブーム**」です。

今では考えられませんが、ほんの数年前まで、ハイボールなんて誰も飲んでいませんでした。ウイスキーは古いものとされていましたし、ちっとも売れていなかったのです。まさか、女子会で飲む人が多くなるなんて微塵(みじん)も考えられていませんでした。ただそんな時代だったにもかかわらず「ウイスキーを若者たちに飲んでもらおう」という無謀な目標に挑戦した人々がいました。それがサントリーの人たちです。

そして、その目標に向けて、彼らがやった初めての仕事は、この「マンガメモ」のような、**ビジュアルによる目標設定だった**のです。

まず彼らは、**ハイボールが本当に売れている状況を想像し、「若者たちがハイボールで乾杯し、楽しげに話している」ビジュアルをつくりました。**

そして、その絵を実現するために、プロジェクトに関わるすべての人がアイデアを出していったのです。

「居酒屋でワイワイするならジョッキがいい」
「ビールジョッキじゃない、ハイボール専用ジョッキをつくろう」
「ウイスキーだけど食事と相性がいい味にしよう」
「ウイスキーが苦手な人でも飲めるようにレモンテイストがいい」
「角瓶のラベルと同じ黄色をイメージカラーにして、旗印をつくろう」
「ハイボールに合うメニューを開発して、一緒に食べてもらおう」

などなど……。こうした会議が行なわれ、次々に実現していった結果、今のようなブームへと進んでいったのです。

※このマンガおよび上記のストーリーは、サントリーの和田龍夫（わだたつお）さんの講演をもとに描き起こしたものです。

このように「**目標のビジュアル化**」**ができれば誰でもイメージが湧きやすくなり、アイデアも出しやすい**わけですね。みなさんも、何かのプロジェクトで試してみてはいかがでしょうか？　きっと想像以上の効果が出ると思います。

難しそうと思った人も、まずは、簡単な顔のイラストやセリフを描くところから、始めてみてください。きっと、アイデアを考えることが楽しくなってきます。

つくメモ

3

ブラック三角メモ

ユーザーの不満からニーズを探る。
知っているだけで、商品企画が得意になるメモ術。

突然ですが、次の言葉の意味を考えてみてください。

橋をデザインしろと言われても、橋をデザインしてはいけない。

まるでトンチですね。これは昔の建築家の言葉ですが、「じゃあどうしろというのだ？」という声が聞こえてきそうです。でも実はこの言葉には続きがあります。それが、

橋をデザインしろと言われても、橋をデザインしてはいけない。
橋を渡ることをデザインしなければいけない。

この言葉の真意、おわかりでしょうか？

そう、**橋を渡る人のことを考えて、「橋を渡るという行為」をデザインしなければいけない**、という意味です。つまり、奇抜で面白く、新しいカタチや色の橋をデザインするのではなく、橋を渡るすべての人が「どうすれば嬉しくなるか？」を考えて、橋をつくらなければいけない、ということ。

橋は、様々な人が渡ります。だから、子どもや老人、妊婦さんやケガをしている人など、様々な人が橋を渡ることを想像して、そのすべての人にとって気持ちよく渡れる橋をつくるべきだ、という示唆だと私はとらえています。

これはとても重要なことです。**どんな仕事であっても、まずは、それを使う人を想像し、その人たちが幸せになるアイデアをつくらなければいけない**。そのためには使う人の求めること、つまり**「ニーズ」を見つける必要がある**、と私は理解しています。

さてこの「ニーズ」という言葉。新規企画や事業開発、新会社の起業に至るまで、これからのビジネスにとって、再び重要になっていくキーワードであり、すべての人が未来に向けて常に意識すべきテーマだと思います。

ところで、ニーズには、すでにみんなが知っている「顕在ニーズ」と、まだ知られていないけれど存在している「潜在ニーズ」の2種類があります。

前者は「女性は甘いモノものに目がない」「汗をかいたらビールがほしい」など、みんなが知っているようなニーズのことです。

これに対し、潜在ニーズは**「そうそう！」「それあるといいね」と気づくニーズ**。私はそれを**「隠れニーズ」**と呼んでいますが、実は、これを見つけることが、企画を考えるうえでとても重要です。

隠れニーズは、隠れています。だからなかなか発見できません。**それを頑張って見つけることが、世の中に驚きを生み、強い共感を生み、新しいビジネスを生み、そして大きな成功を生む**のです。

隠れニーズを探せ

実際の商品企画の例で、この「隠れニーズ」について考えてみましょう。

2014年秋、私が担当している**「ロペピクニッ**

ク」という女性向けのファッションブランドで、ある商品が発売されました。

機能性の高い保温糸でできているセーターで、カタチも色も素敵なニット。でも競合ブランドにも似たようなカタチや色、風合いの商品はあったので、驚くほど売れるタイプの商品ではありませんでした。でも、**このセーターはとてもよく売れた。その理由はこの商品が「パチパチしない、ポカポカニット」だったから**です。

パチパチしない、
ポカポカニット

1. 静電気を抑えてパチパチしない
2. 吸湿発熱でしっかりポカポカ
3. 極細アクリル使用で優しい着心地
4. 湿度も適度にコントロール

ROPÉ PICNIC

隠れニーズ＝パチパチしない

保温性やスタイル、やわらかさ、品質のよさなど、いろいろな「メリット」を訴求する商品はあります。でもこのニットはそれをせず、静電気が軽減される糸を使って、「パチパチしない」機能を開発し、それを発信した。そうすることで、他にはない、**共感できる価値＝隠れニーズを持ったニットが生まれた**わけです。そして、この「パチパチしない」という小さな隠れニーズの発見は、この後、大きなビジネスチャンスを生みました。それはつまり、**使う側が「本当は欲しい」と思っている「隠れニーズ」を見つければ、相手は強く共感し、ちょっと感動し、そして「売れる」ということを証明したことに他なりません。**

これはもちろんファッションだけではなく、どんなビジネスにも通じる考え方。隠れニーズこそが、世の中を動かすアイデアになるというわけです。


では実際にその「隠れニーズ」を見つける方法をお教えしましょう。

難しいですかって？　いえいえ、この本には難しいことはひとつも載せないという約束です。では参りましょう。誰もが簡単に、隠れニーズを見つけられる方法です。

隠れニーズを見つける、最強の武器

次ページに2つの三角形があります。これが、**隠れニーズを見つける武器「三角メモ」**です。三角メモは、三角形を2つ描いてメモするだけの簡単なメモ術。ですが、企画やアイデアに重要な「隠れニーズ」を発見する最強の方法なのです。

この三角メモは、**「共感三角形」**とも呼んでいて、情報の「送り手（商品情報）」と「受け手（世の中の気分）」の双方の真ん中にある「共感」を見つける図になっています。

この共感こそが「隠れニーズ」の種。

つまり、この「三角メモ」を使うだけで「隠れニーズ」が発見でき、世の中が共感する企画を生むことができるというわけです。

それではさっそく、この共感三角形を使って、アイデアを生む練習をしていきましょう。

まずは、2つの三角形を描きます。そしてまず、左の三角形を埋めます（次ページ下）。

左は主に、「送り手（つくり手）」が伝えたい内容。たとえば、商品情報やサービスの情報、企業姿勢やつくり手のこだわり、製法や差別ポイントなどが入ります。

先ほどのニットで言えば、「やわらかい風合い」「カラーバリエーション」「価格の安さ」「流行のカタチ」「着

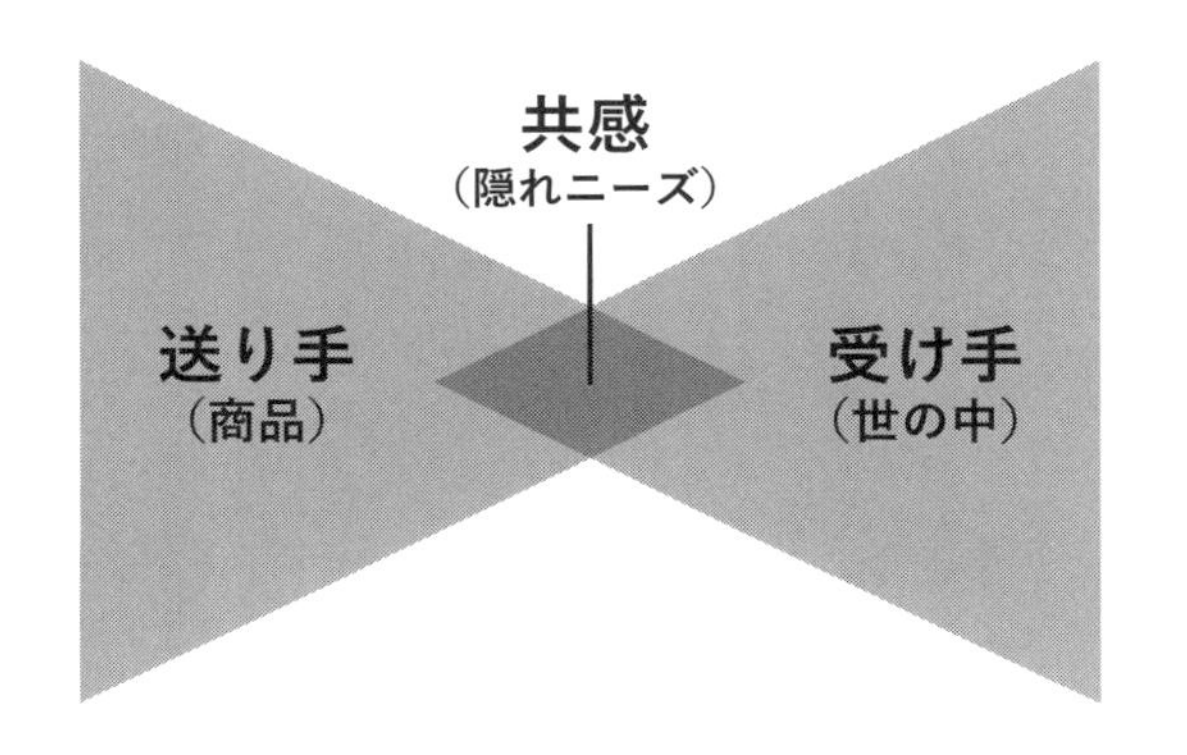

回しできるスタイル」「こだわりの縫製や新素材」そして「静電気の低減」などですね。

でもこれだけでは共感も隠れニーズも見つけられません。そこで、右側に「受け手（買い手）」の思いを書いていくわけですが、**単にユーザーの思いを書いても、なかなか「隠れニーズ」には行き着かない**のです。

ではどうするか？

ここで大切なことをお伝えしましょう。今回の「つくメモ」の名前は「**ブラック三角メモ**」です。実は、三角メモは、ホワイトとブラックの2種類があり、これは「ブラック」のほう。つまりちょっと黒い三角メモなのですね。**なぜ黒いかというと、不満を書くから**なのです。

つまり、**「不満」のカタマリから真の「隠れニーズ」を導く、画期的なメモ**なのです。

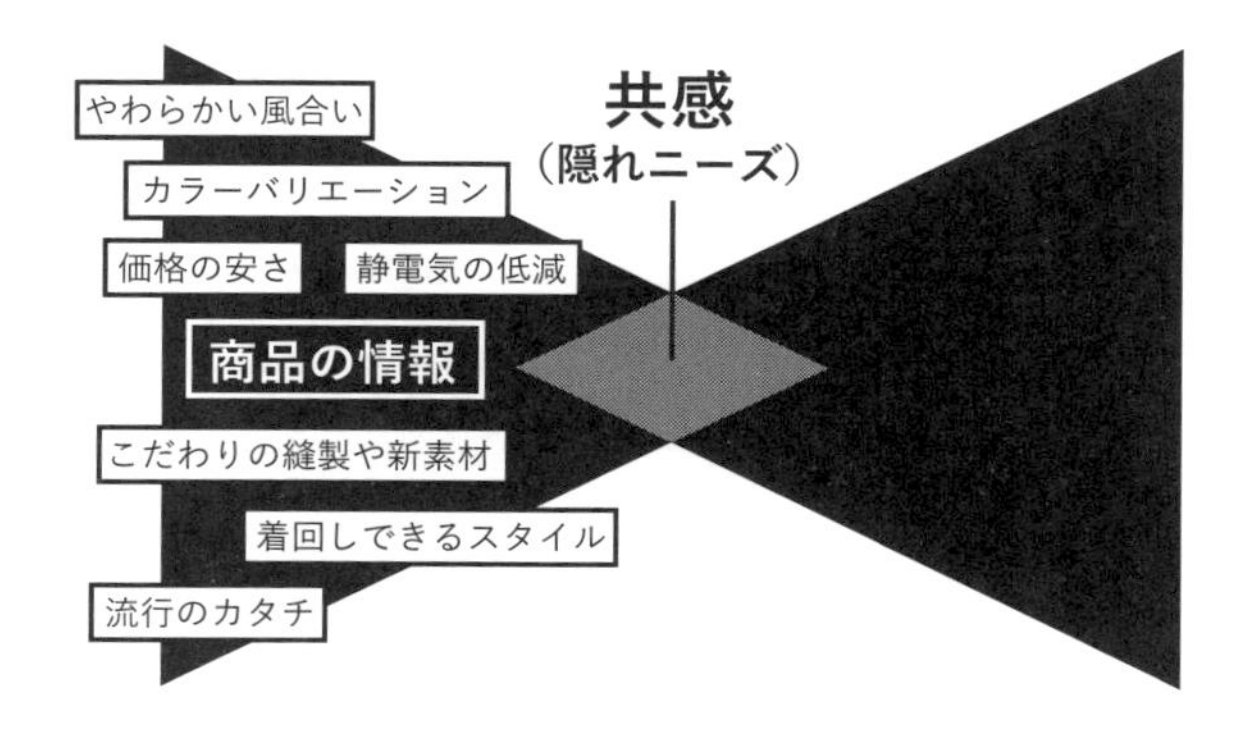

不満を書けば、アイデアが見つかる

では説明していきましょう。

まず三角形の左側を埋めたら、次は右側に、**そのテーマの「不満」**、**つまり「嫌なこと」「困っていること」を書きます**（次ページ下）。たとえば、セーターで言えば「すぐ型くずれする」「洗濯機が使えない」「静電気が嫌い」「毛玉ができる」「硬くなる」「色が悪くなる」「いいものは高い」のような、不満ですね。これをどんどん書いていく。できれば一般的に言われてない不満も見つかると最高です。

そうして「セーターへの不満」が右側に集まると、それがそのまま、セーターに対して**「なんとかしてほしいこと」＝「隠れニーズ」**の基になるというわけです。

そしてその右側の「不満」を解決するアイデアが、左側の商品情報から導き出せれば、それが**「隠れニーズを解決するアイデア」**になります。

こうして導かれたのが「パチパチしない」という隠れニーズでした。実は、序章で書いた**「焼かないTシャツ」**もこの「隠れニーズ」を発見したことで売れたケースです。

単なる一機能に過ぎなかった「UVカット」を強くフィーチャーし、**「焼けるのが嫌」という女性の不満を解消するアイデア**としてアピールしたからこそ売れたわけですね。

このように、**世の中の不満を解決するアイデアがあれば商品は売れます**。でも、これまではそのアイデアを、とにかくたくさん考える根性論で見つけていた。でもこの「ブラック三角メモ」があれば、誰でも効率的に見つけられるのです。

ところで、隠れニーズは、まだ知られていないニーズなので、世の中に出ると驚きを生みます。だからこそ、新しい商品やサービス、新しい店舗やイベントなど、これまでにないアイデアが必要なときなどに必須の考え方。つまり、企業が始める新規案件のほとんどに、この「ブラック三角メモ」は使えるということです。

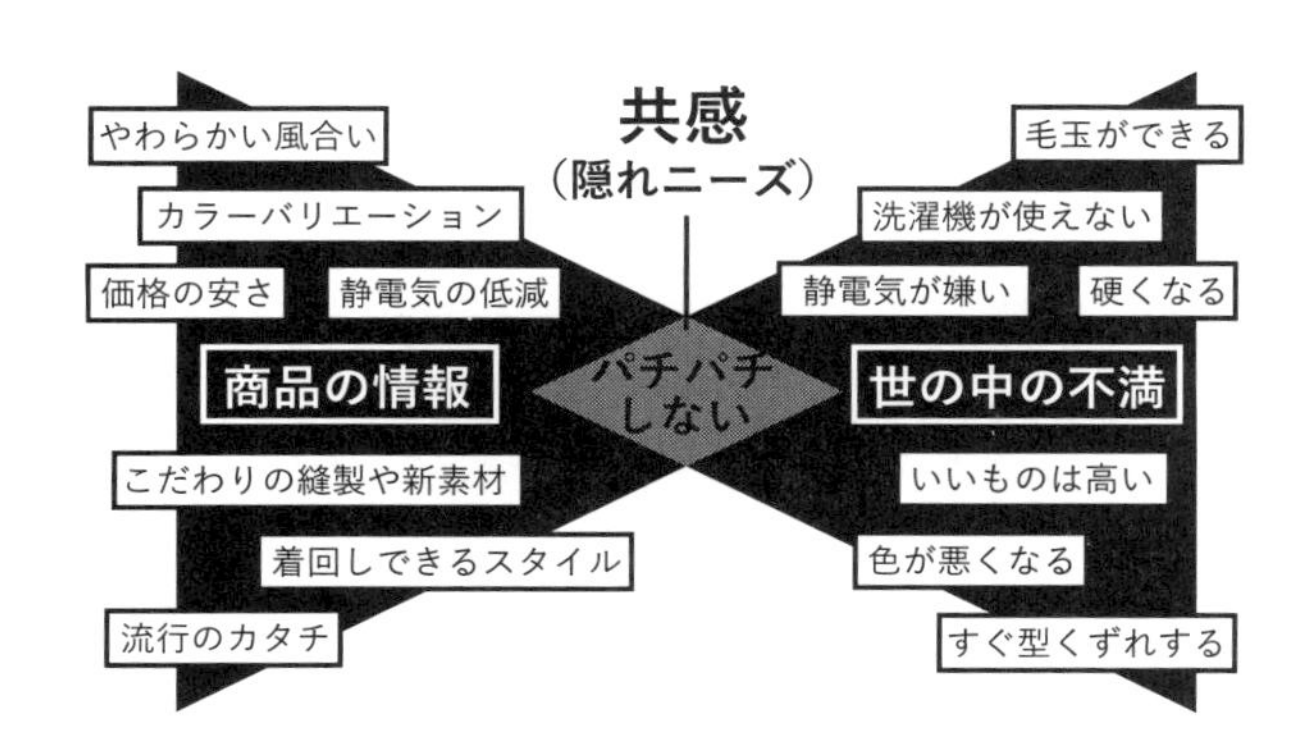

たとえば、新しい家電を開発する場合はどうするか？「ブラック三角メモ」は、商品情報から埋めるのが通常のやり方ですが、製品を開発する場合には、まず、右側に「家電への不満」をたくさん挙げることから始めます。

書くのは、家電で困っていること、難しいこと、大変なこと、嫌なこと、などですね。みなさんも考えてみてください。たとえば、

- クーラーを止めると変な臭いがする
- 部屋に荷物が多いとロボット掃除機が使えない
- テレビのリモコンがどっかにいってしまう
- トイレの自動の蓋が思うように動かない
- 冷蔵庫の中に賞味期限切れのものが多い
- スマホを手に持って映像を見ると腕が疲れる
- 全自動洗濯機なのに、洗濯物を取り込まないといけない

このように、**「ああ、そうだね！」と思わず言いそうな不満**をできるだけたくさん書いていきます。

その後、この右側の内容を見ながら、今の技術でできそうなことを左に書いていきます。

そして、真ん中にその左右を満たすような「家電のアイデア」を書く。そうすれば、「隠れニーズ」を解決するアイデアになっているわけです。たとえば、

・消えるといい匂いを出すエアコン
・賞味期限を教えてくれる冷蔵庫
・壁や柱にひっつけて見ることのできるスマホ
・呼ぶと「ハイ！」と応えて場所がわかるリモコン

いかがでしょう？　こんな家電があれば、ちょっと欲しくなりませんか。

このように「ブラック三角メモ」を使って隠れニーズを発見できれば、開発や企画で面白いアイデアを次々に生み出すことが可能なのです。**「隠れニーズ」は、世の**

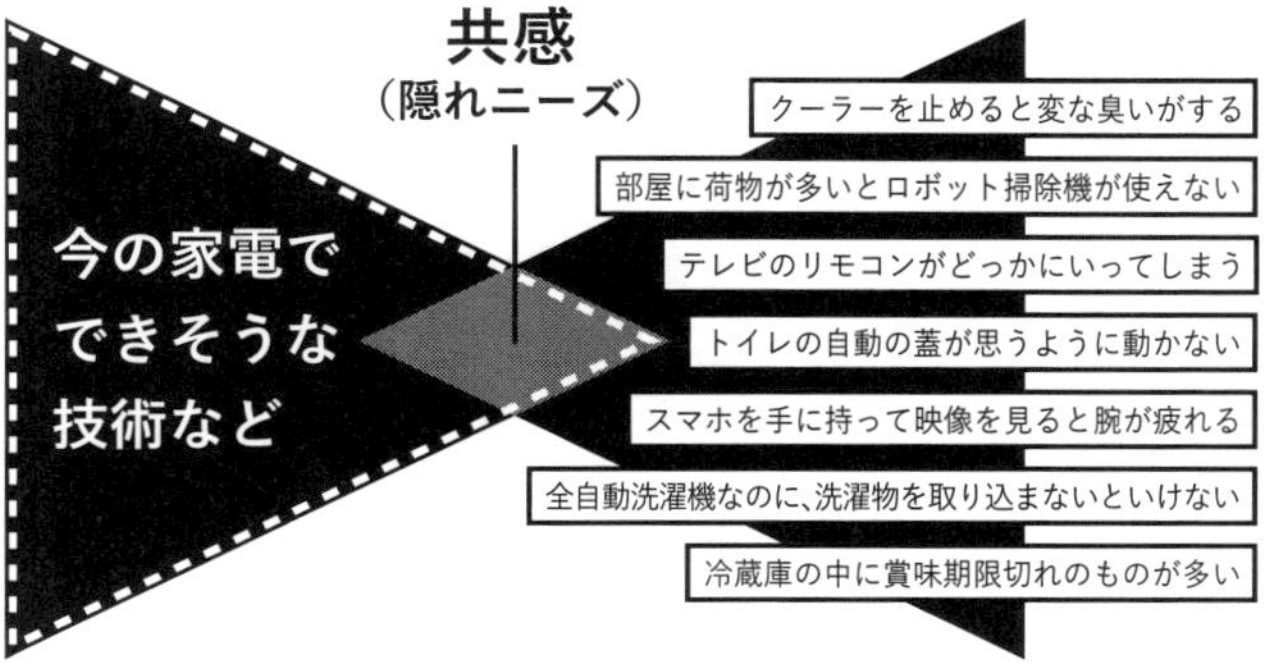

中の不満を解消して、新しい暮らしを生み出すアイデアの源。まずは、遠回りに見えても、「隠れニーズ」を見つけてからアイデアを考えてみてください。結局、近道になることが多いと思います。

さて、次に、同じ三角形を使って、新しいアイデアを次々に生む、もうひとつの方法を紹介しましょう。それが、「**ホワイト三角メモ**」です。

つくメモ

4

ホワイト三角メモ

1時間で100個のアイデアがつくれる！
誰もが簡単にクリエイティブになれるプロの裏技。

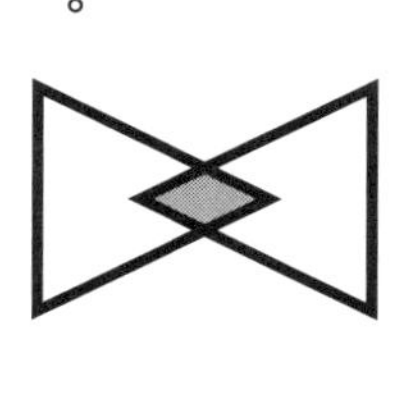

アイデアをつくるのは、才能でも、センスでもありません。実は、公式があるのです。

アイデアをたくさんつくれる人は、その公式を、知らず知らず使っているだけ。だからその公式を覚えれば、あなたもすぐにアイデアが生み出せるというわけです。

先ほどの「ブラック三角メモ」は、「不満」から「隠れニーズ」を探る公式。とくに、新しいサービスや商品の企画に効果的な「つくメモ」でした。ぜひ、一度その公式に当てはめてアイデアを考えてみてくださいね。

さて、次に紹介するのは「ホワイト三角メモ」です。「不満」を使うブラックとは違い、**ターゲットの「好み」から、「隠れニーズ」を探り、今の時代にウケるアイデアを生み出す公式。**イベントや広告、セールスプロモーションのアイデアやＰＲコンテンツなど、世の中を盛り上げたり、興味を惹いたりする「ネタ」を生み出すのに適しています。

さらに、このメモ術は、ターゲットの「今の好み」を抽出するので、**自ずと今の時代にヒットするコンテンツを生み出す確率が高くなるメモ術**でもあります。

大事なことなので繰り返しますが、アイデアは特別な人に与えられた才能ではありません。序章でもお話ししたように、ジェームス・W・ヤングは、その著書の中で「アイデアとは既存の要素の新しい組み合わせ以外の何ものでもない」と語っています。私もその通りだと思います。つまり、**アイデアは「ゼロ」から生み出すのではなく、組み合わせで生み出すもの**なのです。だとすれば、世の中にある「何か2つ」を組み合わせれば、アイデアが生まれることになる。では、その組み合わせが簡単にできる「公式」をつくれば、誰でもアイデアが生み出せるようになると、私は思ったのです。

それで生まれたのが、前項でもお話しした「三角メモ」。ブラックも、このホワイトも、アイデアを簡単に生むための「公式」というわけです。

たくさん出して選べば、いいアイデアになる

とはいえ、組み合わせでアイデアを生むのには問題があります。それは、ただ何となく

２つを組み合わせても、いいアイデアができる可能性は少ないということです。

では、どうすればいいか？　実は、**たくさんのアイデアを考えて、そこからいいアイデアを選ぶしかない**のです。そして、それを繰り返し続け、いいアイデアを生む経験を自分の中に蓄え、アイデアを生む精度を上げていく。それしかありません。

私は、広告の仕事をしています。つまり、アイデアづくりのプロです。**プロの仕事は、「コンスタントにいいアイデアを生むこと」にあります**。プロが「今回はできませんでした！」と言えばそこでプロとしてのキャリアは終わり。でも、本当のプロはそうならない。というよりも、そうならないように必死で努力しています。

プロとしての技術を磨きながら、常に何百、何千というアイデアを生み出しては、殺し、また生み出しながら毎日を過ごす。それはそれは地味で大変な作業を繰り返すのです。

では、みなさんはどうでしょう？　この本を読まれている中には、広告やデザインなどのプロの方もいると思いますが、ほとんどの方はそうではないと思います。つまり、あるビジネスのプロではあるけれど、アイデアづくりのプロではない。そういうみなさんに、「とにかく何百、何千のアイデアを考え続けてください」というのは難しいことだと思います。

でも、やっぱり、いいアイデアはつくりたい。そうですよね。

ただし、先にも書いたように、いいアイデアを生むには、たくさんのアイデアをつくり、そこから選ぶしかないのです。

でも待てよ、と私は思いました。すごく簡単に、しかも目的にあった数百のアイデアを生む方法があればいいのではないか？　そして、その数百の中からいいアイデアを選び出せば、誰でも、いいアイデアを生むことができるのではないか？　それができれば、いいアイデアを生む公式になる。そう思ったのです。

ここでご紹介する「ホワイト三角メモ」はそんな思いから生まれた「アイデアの公式」のひとつ。**たくさんのアイデアを生み出し、そこからいいアイデアを選べるメモ術**というわけです。

1時間に100個のアイデアを生もう

それでは実際に、その公式、「ホワイト三角メモ」を説明していきましょう。

このメモ術は、**別名「居酒屋ミックス」**とも呼びます。居酒屋で飲んでいたときに、たまたまそこにあった「紙ナプキン」を拝借し、それをちぎって、小さな文字を書き、組み合わせて遊んでいたことが始まりだからです。

「ホワイト三角メモ」は居酒屋で遊びながらできるほど簡単なメモ術です。しかも**慣れてくると1時間で100以上のアイデアが生まれる。**しかも一度覚えるとずっと忘れないし、他の人にもすぐに説明できます。これはもう、やるしかないですね。

では早速、説明していきましょう。

まずはじめに、解決する「課題」を設定します。

普段のビジネスでも、たとえば「新商品を40代女性に売るためのアイデア」とか「お店に子どもたちを呼ぶアイデア」のように「課題」を設定しますが、そのすべての課題で、この「ホワイト三角メモ」を使うことができます。つまり、どんな課題でもＯＫ！

そこで今回は、私が大好きな「銭湯」をテーマにしてみました。題して「銭湯に若い女性を呼ぶためのアイデア」。

さあ、「ホワイト三角メモ」の始まりです。

ホワイト三角メモ

［銭湯に若い女性を呼ぶためのアイデア］

① 左の三角形に、テーマに関連する情報を書き出してください！

そこにあるモノ、体験できるコト、そこにいる人、生み出した技術、呼び名、あると嬉しいもの。できれば、誰も思いつかないようなことを含めて、とにかくたくさん書いてください。

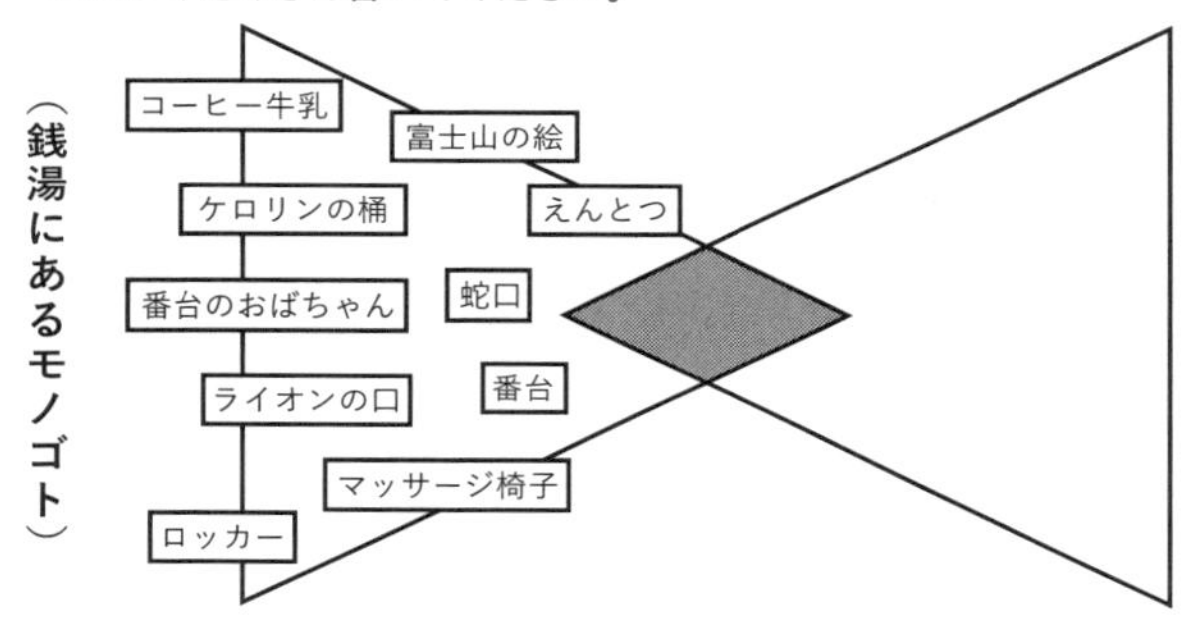

② 次に、右の三角形にターゲットの好きなことを、ただただリストアップ！

この時、①で書いた情報はすべて忘れ、その商品や場所とは関係なく、ターゲットの好きなことだけを考えて書いてください。

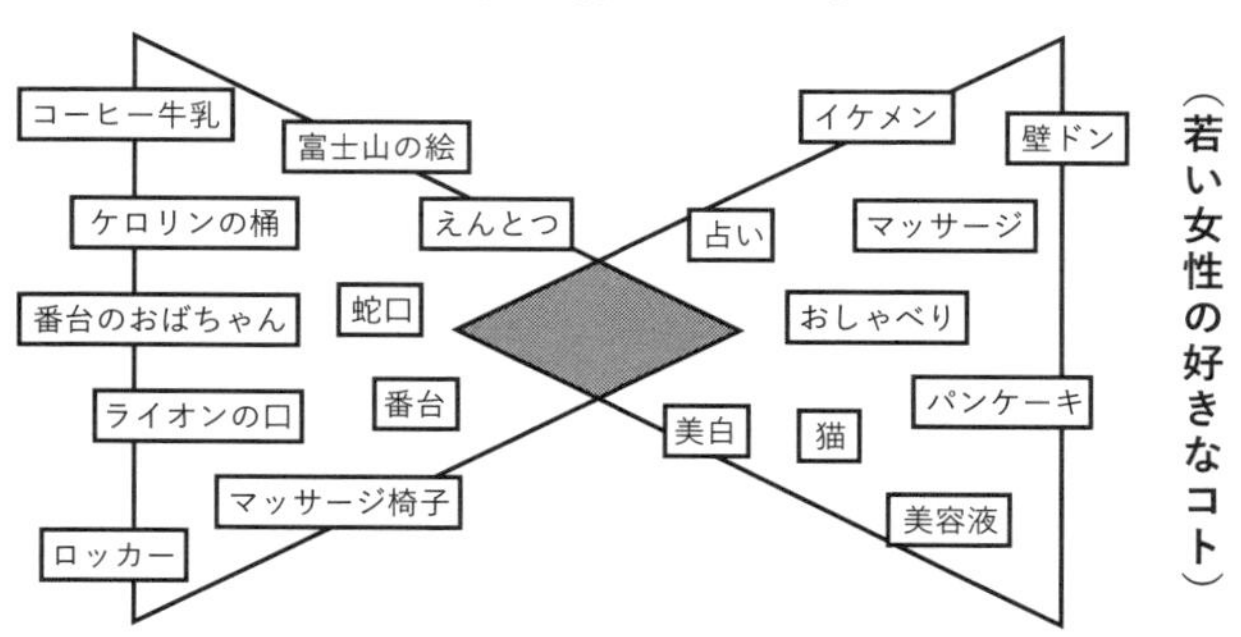

③ さあ、①と②を結びつけて、面白い言葉をつくってください！

組み合わせが変なもの、面白いと感じたものはすべて書き出します。実現可能性が低くても無視して、とにかくたくさん選ぶのがコツです。

進め方はいたって簡単！
右のように、①②の順に三角形を埋めるだけで、面白いアイデアが生まれます。
そして③で、左右の文字を組み合わせると――、

1. ケロリンの桶パンケーキ
2. 猫番台
3. 美容液蛇口（じゃぐち）
4. 富士山の壁で壁ドン
5. 温泉旅行付きロッカー
6. イケメン煙突（えんとつ）
7. ライオンの口占い
8. コーヒー牛乳美白
9. おしゃべりマッサージ椅子
10. 番台のおばちゃんマッサージ

ほら、たった数分間で10個のアイデアが生まれました。

ちょっと奇抜なものも多いですが、笑顔になるようなアイデアが並んでいますし、うまくいけば人が集まりそうなイベントになる可能性もありますよね。

ここで大切なのは、これらの**アイデアは真面目に考えているだけでは決して生まれない**ということ。いつもの方法で、眉間にしわを寄せて考えても決して生まれないような、面白いアイデアが生まれることなのです。

そして、もうひとつ大切なことは、**とにかくたくさんのアイデアを生み出せること。**いっぱいアイデアを生み出してから、初めてそこで、「実現できるか・実現できないか」を探るのです。最初から実現できる範疇（はんちゅう）でしか考えないと、小さくまとまった、ありきたりなアイデアしか生まれません。

だからこそ、**まず面白いアイデアを考え、そして実現できるものを選ぶ。そうすれば想像していたものよりも、はるかに面白く、オリジナリティ溢れたアイデアが生まれる**のです。

それを何度も繰り返し、アイデアづくりの精度を上げて、本当に「すごい！」と思えるアイデアに巡り合う。この「ホワイト三角メモ」はそれを「公式化」したメモ術。実は、**これがプロのアイデアのつくり方と同じ**なのです。

テーマから離れず、今の流行を取り込む

この「ホワイト三角メモ」のもうひとつの利点は、**どんなに突飛なアイデアを考えても、それがテーマから離れない**ことにあります。今回の場合も、「銭湯」にあるモノや、できるコトと組み合わせて考えているので、どんなに面白くて、どんなに突飛なアイデアが生まれても、「銭湯に若い女性を呼ぶ」ためのアイデアになる。それはとても重要なことです。

実は、アイデアを考える難しさのひとつに、アイデアが目的と「離れてしまう」ということがあります。いろいろ考えていくうちに、いつの間にか新しさや面白さだけを追い、目的や課題から離れてしまうのです。私も、長年仕事をしていますが、いまだに「面白いけれど、目的から離れてるね」というアイデアが生まれてしまいます。

でも、この「ホワイト三角メモ」にはそれがない。どんなにぶっ飛んだアイデアを考えても、それが**「目的のためのアイデアを生む仕組み」から生まれているから**です。

さらに、そもそも「ターゲットの興味」から発想するので、驚くほど簡単に、ターゲットが興味を持つアイデアを生み出すことができる。まさに画期的なアイデア開発術なのです。

このように、**目的とターゲットの興味の両方を見つめ、組み合わせでたくさんのアイデアを考え、そこからいいものを選ぶ。**そんなプロの発想法がそのまま「公式」になったものが「ホワイト三角メモ」なのです。

さて、もうひとつ、この「ホワイト三角メモ」を使って別のアイデアを出してみましょう。

テーマは「雑貨店に人を呼ぶ、新しいイベント」です。

お店に人を呼ぶというテーマは、飲食業やサービス業、小売業など、すべてのお店の課題なのでぜひ応用していただきたいと思います。

ただ、「お店」では考える範囲が広すぎるので、ここではあえて「雑貨店」にしてみました。さらにターゲットは、「20代の女性」ということにしましょう。

では、テーマとターゲットが決まったので、早速、「ホワイト三角メモ」を始めましょう。

ホワイト三角メモ

［雑貨店に20代女性を呼ぶイベントのアイデア］

① 左側の三角形に、雑貨店によくある商品、モノ、体験できるコト、そこにいる人、などを挙げてみます。
実際に10分ほどで出せるだけ出してみましょう。

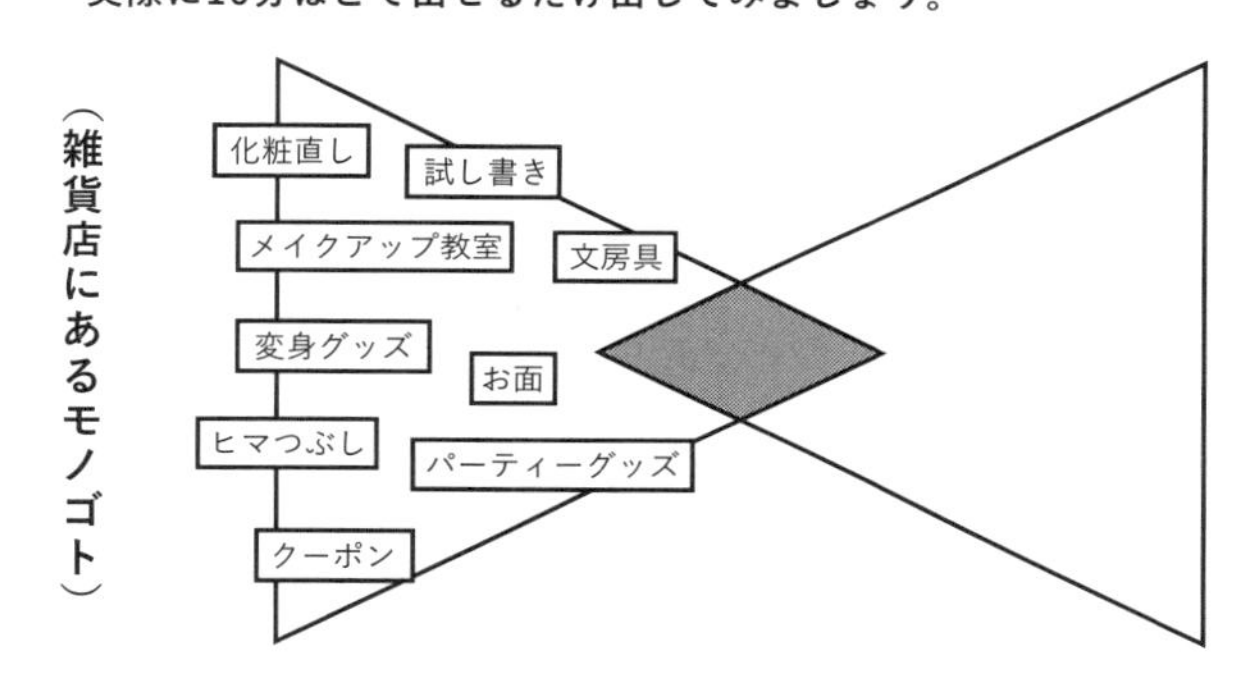

② 次に、右側にターゲットの好きなことを、ただただリストアップ。
これも短時間で、挙げられるだけ挙げましょう。

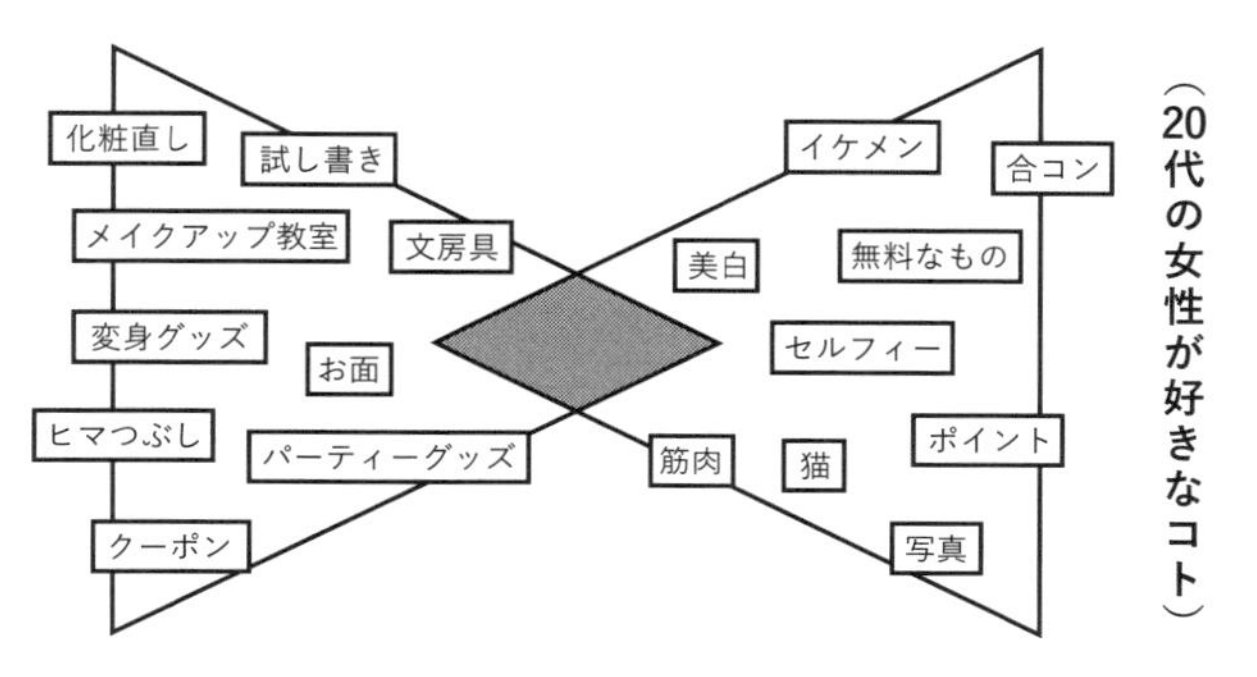

③ さあ、①と②を結びつけ、いっぱい言葉をつくってください。

では、②の左右の言葉を組み合わせてみましょう。

1. イケメンメイクアップ教室
2. ねこ文房具
3. 合コン前化粧直し
4. ヒマつぶしポイント
5. セルフィクーポン
6. 無料パーティーグッズ
7. 筋肉試し書き
8. 化粧直しポイント
9. 変身グッズ写真
10. 美白お面

これまた一瞬で10個のアイデアが生まれました。まだまだ「アイデアの種」ではありますが、なかなか面白いものがありますね。

たとえば、「イケメンメイクアップ教室」はすぐにでも人が来そうだし、「ねこ文房具」

は売れそう。「合コン前化粧直し」は、場所を無料提供して、「化粧直しバー」のようにすれば商品のサンプリングにも活用できそうです。

さらに「ヒマつぶしポイント」なんか導入すると、話題になるし、たくさんの人が、暇つぶしでお店に来そうですよね。

そして、**「セルフィクーポン」**。これは流行しているセルフィー（自撮り）を使って、自分だけのクーポンを発行するというアイデアですが、実はこれ、実際に実施したアイデアなんです。

「SMILE ATM」

これは、国内で数十店舗を展開している雑貨店、**PLAZA**で実施したアイデア。特別な鏡に映った自分の顔写真がそのままクーポンとして発行される「セルフィクーポン」です。実施時には、「お得」「スマホゲーム」というアイデアも追加して、**「笑顔の度合いに**

SMILE ATM

よってクーポンの割引額が変わる」という仕組みにしました。

デザインも、お札のようにすることで、より写真に撮りたくなるような仕上がりになったと思います。

この「SMILE ATM」は、実施するとすぐに「面白い！」と評判になり、SNSで拡散され、お店への集客にもPRにも貢献しました。

そのアイデアの発端は、この「ホワイト三角メモ」。組み合わせからアイデアを探る「メモ術」が、本当に集客へとつながった例です。

アイデアを出すのは楽しいこと。苦しいことじゃない

このように、アイデアづくりは意外なほど簡単にできます。もちろん、そこからいろいろな条件をクリアして、さらに面白くブラッシュアップしていく必要はありますが、アイデアの種はたくさん出せる。普段、その「種」が出ないで困っている人は、ぜひ、この「ホワイト三角メモ」を使ってもらいたいと思います。

ところで、「ホワイト三角メモ」を使ってみるとわかるのですが、**とにかくアイデアを出すのが楽しくなります。**そもそも「アイデアを考えること」は楽しくなくちゃいけない。しかめっ面でウンウンと悩んでも、いいアイデアは出ません。考えるのは苦しいけれど、とにかく楽しむ。**そういう気持ちこそが、画期的なブレイクスルーを生む**からです。「まるで遊びじゃないか！」と怒られそうですが、楽しんでアイデアを出す、そのクリエイティブな空気こそが自分や、チームや、企業そのものを、変えるきっかけになると思うのです。

さてここまでで、三角メモを使った「ブラック」「ホワイト」の2つのメモ術を紹介しました。

どちらも楽しみながらすごいアイデアを生み出せるメモ術。未来を生み出すメモ、「未来メモ」の真骨頂です。まずは一度、試してみて、どちらか1つでも、自分のものにしてもらえると嬉しいです。

それではそろそろ、次の「つくメモ」に移りましょう。

次は、つながりでアイデアを生み出すメモ術、**「つなぎメモ」**です。

つくメモ

5

つなぎメモ

「流れ」でつなげば、答えがわかる！
どうしても答えが見えないときに、助かるメモ術。

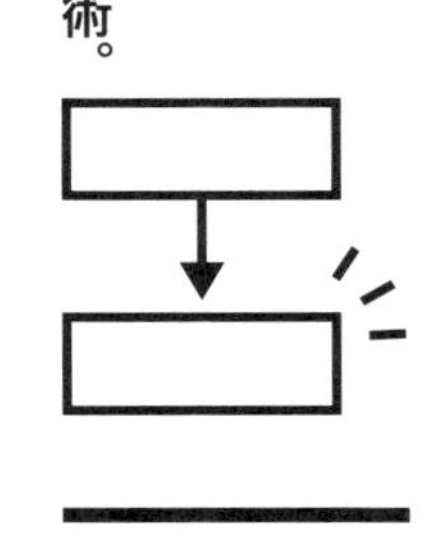

考えているうちにいろんな情報がこんがらがって、わからなくなった。課題が絞り込めないので、アイデアの方向性が決めきれない。いくつもアイデアがあるけど、どれが正解かわからない。

仕事をしているとよく訪れる混乱。どんなにベテランの人でも、すごくキレモノと言われるような人でも、初めての仕事や難しい仕事は混乱するものです。そんな混乱を解決するには、この「**つなぎメモ**」が効果的です。第1章で登場した「矢印メモ」は「混乱に『秩序』を生み出すメモ」とお話ししましたが、**この「つなぎメモ」はその応用。「秩序」の先に「答え」を導き出すためのメモ術**です。

ちなみに、私もよく混乱しています。プロなので「何でもわかってます……」みたいな顔をしてはいますが、実は「どうなってんだこれは？」と悩んでいることが多いのです。

たとえば、商品の情報が多すぎて吸収できないときや、取り巻く環境が複雑すぎて理解できないとき、いろいろな意見がありすぎて何を優先すべきか決められないときなどはよく混乱します。解決しなければいけない課題が多すぎるときも、どこから手を付けていいのかわからなくなり、ほとほと困ってしまうわけです。

そんなときに私がよく使うのがこの「つなぎメモ」。

移動するときや、打ち合わせの合間などに、つれづれなるままに……**思い浮かんだことを「←」でつないでいく。そうするといつの間にか答えの方向が見えてくる**のです。

ときには、意外なほど頭が晴れていろんなアイデアが次々に浮かんでくることもあります。とにかく、「頭が整理できない」とか「答えに行きつけない」と悩んでいる人には効果的。ぜひ試して欲しいメモ術です。

「え、本当にそんなに頭がすっきりするの？」と疑問を持たれた方も多いと思うので、実際の案件で使った「つなぎメモ」を見ながら、話を進めるとしましょう。

わからないときは、まず「つなぐ」

ここで紹介するのは、2015年春に依頼された「**九十九島**(くじゅうくしま)**の観光活性化**」について悩んでいたときの「つなぎメモ」です。

九十九島は、長崎県の佐世保の近くに位置し、点在する208もの美しい島々と自然、そして海の幸に恵まれた地域です。長崎ハウステンボスからも近く、国定公園も多くあり、その絶景は、誰が見ても息を呑むほど……なのですが残念ながら、ほぼ知られていません。ほとんどの人が「つくもじま」とか「きゅうじゅうきゅうしま」と読むほど、知名度が低いのが問題でした。

そこで、地元の人々と外部スタッフによりチームが結成され、観光活性化に取り組むプロジェクトに着手しました。そのプロジェクトが少し進んでから参加した私は、課題やゴールがわからず何をやっていいか悩みました。そこでまず、ゴールが見えないまま「つなぎメモ」を書き出したわけです。

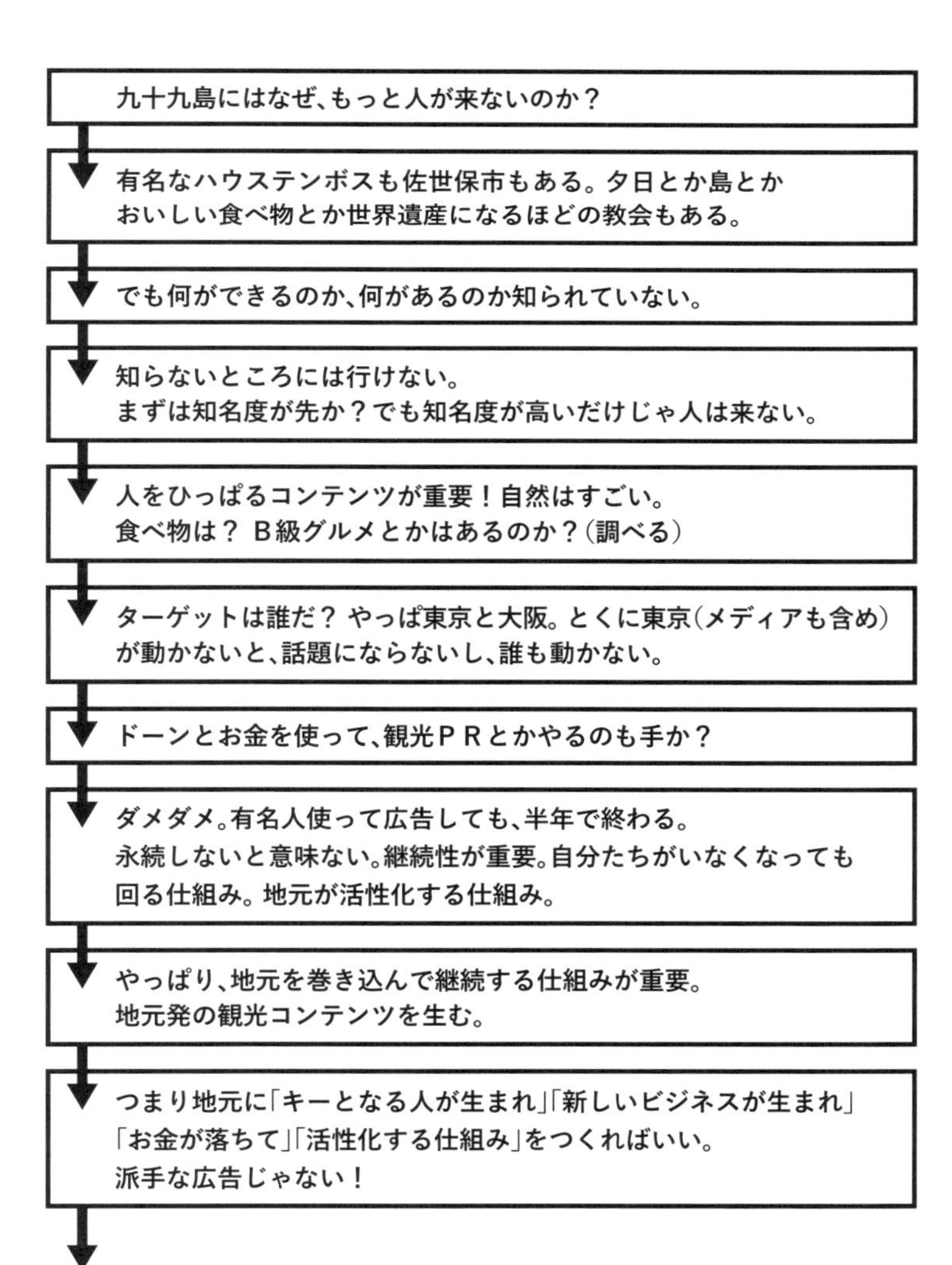
九十九島にはなぜ、もっと人が来ないのか？
有名なハウステンボスも佐世保市もある。夕日とか島とか
おいしい食べ物とか世界遺産になるほどの教会もある。
でも何ができるのか、何があるのか知られていない。
知らないところには行けない。
まずは知名度が先か？でも知名度が高いだけじゃ人は来ない。
人をひっぱるコンテンツが重要！自然はすごい。
食べ物は？ B級グルメとかはあるのか？（調べる）
ターゲットは誰だ？ やっぱ東京と大阪。とくに東京（メディアも含め）
が動かないと、話題にならないし、誰も動かない。
ドーンとお金を使って、観光ＰＲとかやるのも手か？
ダメダメ。有名人使って広告しても、半年で終わる。
永続しないと意味ない。継続性が重要。自分たちがいなくなっても
回る仕組み。地元が活性化する仕組み。
やっぱり、地元を巻き込んで継続する仕組みが重要。
地元発の観光コンテンツを生む。
つまり地元に「キーとなる人が生まれ」「新しいビジネスが生まれ」
「お金が落ちて」「活性化する仕組み」をつくればいい。
派手な広告じゃない！

まず地元の声と状況を知ることが必要。現地の人と触れ合って、
実際の意見を聞いて、地元に根ざしたアイデアを生むベースがいる。

↓

そのうえで、ターゲット（東京の人）の目線で観光を活性化する
アイデアが必要！ 地元の人では気づけないアイデアを出す！

↓

東京の人と地元がチームになれるベースが必要。
そこに地域活性のプロを巻き込む。会社でも、自治体でもなく、
もっと有機的な組織。学校のような組織が必要。

↓

九十九島大学！　そこでやるべきことは何だ？ まず情報の整理。
知らなきゃ、何もできない。

↓

九十九島だから、九十九のコンテンツをつくろう。
九十九島の九十九ネタ！

↓

ネタをつくるハードルは「東京から10万円使っても体験しに来るか？」。

↓

ただの観光情報じゃなく、思わず広げたくなるような「ネタ」になってる
のがいい。それを拡散させる写真か映像の仕組みも必要だぞ！

↓

世界初！ Vineを使った観光活性化！
知り合いのVineのスターも巻き込んじゃおう！

↓

現地の店とか巻き込むことが必要だから、地元の有志を組織化するか？
地元の人の中にスターが現れて、その人をキーにＰＲするといい。

↓

さらに大きな話題になるストーリーが必要だ。地元発信で、
地元に還元される新しい観光ストーリー…。
なんだろう、そこ、さらに考えよう！

アイデアの断片をつなぎ合わせて、ストーリーにする

前の２ページにわたるメモが、そのときの「つなぎメモ」。見てわかるように、ただ思ったことを順につないだだけなのですが、いつの間にか頭が整理され、課題が見えてきました。そしてその課題に向け九十九島活性化プロジェクト「九十九島大学」を始動させたのです。当初、混乱していた私も、**思っていることを「つなぐ」ことで、「やるべきこと」が明確になり、どの方向へ向かって考えていけばいいかが鮮明になった**わけです。

このように、バラバラの情報やアイデアを「←」でつなげると、まるで物語を読むようにスーッと必要なことが見えてきます。そして、頭の中の霧が晴れる。こんがらがっていたことが、スルスル解けてわかりやすくなり、大切なこと、どうでもいいことが、整理される。そしていつの間にか答えに近づくのです。

ちなみに、この「つなぎメモ」に書いた内容は、結果的にほぼ実現されることになりました。そして驚くことに、この九十九島での取り組みそのものが**２０１５年度の「グッドデザイン賞」を受賞**。「つなぎメモ」が、世の中に新しい動きを生むことになったわけです。

さらに、この「つなぎメモ」の効用がもうひとつ。

「つなぎメモ」を人に見せると、どんな企画書よりもスムーズに、納得してもらうことができるのです。もちろん、ビジネスの相手先に対しても効果は絶大。だからこそ私は、この「つなぎメモ」でつくった流れを、そのまま企画書にして、企業にプレゼンすることがよくあるのです。

たとえば、左ページにある2枚のシートは、２０１５年の春、世界的なファッションストアである**「バーニーズ・ニューヨーク」**に対して提案した企画書から抜粋したもの。年末のホリデーキャンペーン用の提案の一部です。実際にはこれ以外に数枚の「つなぎメモ」を企画書にしてプレゼンしました。前年の振り返りから、課題の提示、問題点などを挙げ、解決への重要ポイントを書いています。この後、実際のアイデアを書き、詳細なビジュアルやメッセージなどへと進むわけです。

これはまさに、頭を整理するためにつくった「つなぎメモ」を、そのまま企画書として提案した例ですね。私はこのように、「つなぎメモ」をそのまま使ったプレゼンをこれまでに１００回以上はしたと思います。そして、そのどれもが「わかりやすい」という評価を得て、提案内容がスムーズに得意先に浸透しました。それは、**自分の頭の中の整理が、**

じゃあ、話題をつくるための派手なPR型イベントか？

↓

時代はリアルへ。話題になっても、売れない。

↓

重要なのは、お店がワクワクするビジュアルで溢れ

お店の魅力があがり、買いたくなる仕掛け

↓

第三者推奨とか総選挙とかVS企画もちょっと飽きた。

↓

同じような形式なら、ランキングは購買に対して効果的

↓

ただ、いわゆるランキングはお洒落じゃない…

相手の頭の整理にもなるから。そしてそれゆえに、提案への納得がしっかり生まれるからです。このように、「つなぎメモ」は、**優れた「発想法」であり、**また、聞く相手の理解をスムーズに獲得できる、非常に**優れた「企画書」でもある**のです。

この「つなぎメモ」は応用のメモ術なので、慣れるまでには少し時間がかかります。ただしこのメモ術には、絶対こうでなければいけないというルールはなく、自分流で「つないでいく」だけでもいいのです。「←」を使って、言葉をつないでいく。それだけで、**自分の中で「流れ」が生まれ、「課題と結論」「原因と結果」「ニーズとアイデア」が見えてきます。**「この課題は難しい」と思ったら「←」でつないでみる。それは本当に効果的なので、試してみてください。

さて、次は最後の「つくメモ」を紹介しましょう。それが、私の大好きなメモ。「**あまのじゃくメモ**」です。

「メモで出世する方法①」
飲み会スリーメモ。

上司や得意先との仕事上の飲み会。

目上の人々から、大切な話やためになる話をされたけど、次の日にはすっかり忘れてしまった……なんてこと、ありませんか？


実は、話された側はその内容をあまり覚えていなくても、話した人がその内容を覚えている割合は7割以上だと聞きました。つまり、**偉い人は話したことを覚えていて、聞いた自分はすっかり忘れている。**

いやはや、これは恐ろしいことですね。


そこでおすすめしたいのが「**飲み会スリーメモ**」。

たった3つだけでいいので、相手の話をメモしておこうという習慣です。その場でも、その後でもいいので、覚えているうちに、少しだけメモする。そして、その話の内容を添えて、次の日にお礼メールなどを出せば、「こいつヤルな！」と思ってもらえること請け合いです。


飲み会の席でメモを取り出すのは、本来は無粋ですが、「**いい話なので、メモしていいですか？**」と言えば、誰も悪い気はしないどころか、気持ちがよくなると思います。

この「飲み会スリーメモ」。すぐに実践したほうがいいメモ術ですよ。

つくメモ

6

あまのじゃくメモ

困ったら、逆から考える！
気づいていなかった答えが見えてくるから。

やるべきことがわからないときや、本当に効果がある答えを見つけたいときに使えるメモ術。それが「**あまのじゃくメモ**」。みんなが考える方向の逆。つまり、「原因→結果」ではなく、「**結果→原因」で発想するメソッド**。まさに、あまのじゃくに考えるメモ術です。

ちょっとわかりづらいように聞こえるかもしれませんが、これまた覚えると簡単。やるべきことを真っ当に考えるのではなく、「**競合にやられたくないこと」「普通はやるはずのないこと」を想像してやってみることで、新しい答えにたどり着く**「**つくメモ**」です。

普段、ビジネスで成果を生むためには、必要な情報を集め、競合に勝つ方法を考え、広告で自社の強みを押し出し、ブランドとしての優位点を語り、買ってもらえるようにアピールします。もちろん、通常はそのような「正攻法」で考えるべきだと思いますが、そんな**正攻法ではどうしても埒（らち）があかない。どうにも打開できないときは、逆から考えてみればどうか……**、というわけです。たとえば――、

・自社がやるべきことではなく、**競合他社が嫌がることから考える。**
・自社が実現できることではなく、**他社に先にやられると悔しいことを考える。**
・最高のシナリオではなく、**最悪のシナリオの逆を考える。**
・今実現できることではなく、**今は絶対にできないことを考える。**
・トクすることではなく、**ソンするけど嬉しいことを考えてみる。**

さらに、具体的に考えるのもいいでしょう。

・女性の商品なら、**今までの女性のタブーから考える。**
・男性の商品なら、**男性は無視して、女性ウケすることだけを考える。**

このように、「やってはいけないこと」や「逆のこと」を発想してみるわけです。

さて、この「逆」からの発想。実際にやってみるとすぐに気づくのですが、**正攻法で**

考えるより、はるかに考えやすいのです。自社がやるべきことは考えづらくても、競合他社が嫌がることは簡単に想像できる。真面目に考えるのは辛くても、意地悪なら考えやすい。それが人間というもの。**「あまのじゃくメモ」**は、まさに人間の本性に根ざした発想法なのです。

では、「あまのじゃくメモ」を実際に使う場合について話していきましょう。

まず、メモにタイトルを書きます。たとえば「最悪のシナリオの逆」や「ソンするけど嬉しいこと」。さらに細かな案件に合わせて、「女性ウケする男性下着」などですね。

それを書いたらまず、そのテーマで思いつくことを、たくさん書き出してください。この書き出しがとても重要なので、できるだけ数を出してくださいね。

では、実際に考えてみましょう。たとえば、あなたの会社がA社として、競合他社（B社）が嫌がることをいっぱい考えてみましょう。すると左ページの上段のような言葉が生まれます。

B社が嫌がること

B社の商品が古く見えてしまうこと
B社の存在感が薄れること
A社のユーザーが増えること
A社の商品が権威のある賞をとること
A社が社会貢献して賞賛されること

次に、右のような言葉を書き出したら、その下に、一つひとつ、A社がやるべきことを書いていきましょう。例えば、左下のような感じです。

B社が嫌がること

B社の商品が古く見えてしまうこと
B社の存在感が薄れること
A社のユーザーが増えること
A社の商品が権威のある賞をとること
A社が社会貢献して賞賛されること

A社がやるべきこと

世の中の最新ニーズをメッセージ化
より大きな社会価値、生活価値の提案
驚きの価格にトライしてみる
世界中の賞に応募してそれを広告する
エシカルな活動に挑戦しPR化する

このように逆から発想するだけで、いろいろな視点が生まれます。大切なのは、逆から考えないと発想できないアイデアが見えてくること。ただ「利益を生もう」とか「競合に勝とう」と考えているだけでは思いつかないことがいっぱい考えつくのです。

もちろんここに出した例はあくまでも一般例なので、アイデアとしてはまだまだ曖昧だと思います。でも、実際の仕事では、効果的なアイデアがたくさん生まれます。そして、少なくとも、「何をすればいいかわからなくなっているとき」に新しい発想を生むには、十分に強い指針になると思います。

未来は「逆」のほうにある

「相場師と呼ばれる人たちは、逆張りをする」という話をよく聞きます。

たとえば、「株価が下がっている株を買い、上がっている株は売る」というような、逆の行為をするわけです。なかなか度胸のいることですが、これは、**未来の人の行動が、今と「逆」の方向へと動くことが多い**という示唆だと思います。つまり、**いま人が動いていない方向こそが、未来では正しい方向だ**、と考えるわけです。

これはビジネスにも通じる考え方だと私は思います。そして、アイデアの発想でも同じ。**いま流行っているものは、もうすぐ流行りではなくなる。**流行しているモノを見て、似ているモノを開発するのは容易ですが、時間がたてば、すぐに世の中は飽きる。だから「後乗り」をしても、そんなに流行もしないわけです。そこで必要なのが「あまのじゃく」な発想。

いまやってないから、やる

先ほどの相場師の話のように、裏をかくわけです。この発想が、企業や市場のブレイクスルーにつながった例はたくさんあります。少し紹介してみましょう。

「女性の商品なら、今までの女性のタブーから考える」

これは、先ほども出ていた「あまのじゃく」な視点のひとつ、「普通はやるはずのないこと」の方向ですね。しかも、かなりの「あまのじゃく」です。なぜなら、女性向けの商品を「タブー」から考えるのはかなり度胸のいることだからです。女性はことさら「タブー」には厳しいもの。芸能ニュースでも「不倫」や「道徳心に欠ける行為」は女性から総攻撃をかけられる。それで消えていった著名人も多数います。だからこそ、女性の商品を担当している人からすれば、「タブーなんかやったら嫌われる！」と思うはず。**でも、だからこそ、逆に、やってみるわけです。**

そんなこと成功するの？　と思われる方も多いと思いますが、実際、このタイプの成功例は多くあります。たとえば、**「見せブラ」**なんかその典型です。

下着は見せないもの。

少し前まで、当然のようにブ、ラ、を、見、せ、る、の、は、タ、ブ、ー、でしたし、年配の女性からは今もタブー視されています。でもちょっとした「見せブラ」は今や普通のこととなっている。未来ではもっと過激になるかもしれません。ファッションの多様化とオープンな時代性がその流行を後押ししているわけですね。

まさに、タブーに挑戦した人の勝ち。最初に「見

見せすぎですけど、何か？

せブラ」を考えた人は、その発想で市場を引っ張っているのだから、きっと笑いが止まらないと思います。

他には、**「生足」**なんかも、一種のタブーから発想したものですし、**「ミニスカート」**ですら、始まった当初はとてもハレンチなものでした。このように、「タブーから始まった流行」は、実はかなり多いのです。

もちろんこの話は、ファッションだけに限ったことではありません。最近、若い男性がよく身に付けている**「大きなサイズの機械式腕時計」**も、時計は薄くて小さいほうがいいという常識を覆（くつがえ）したものですし、**「塩味アイスクリーム」**なども、逆のイメージからつくられたもの。**いろんな領域で「タブー」から発想すると、面白いことを考えつく。**まさに「あまのじゃく」な発想法が、世の中を変えているわけです。

もちろん、こういったタブーを実現するには、それなりの調査や研究も必要です。過剰なネガが出ないかを確認してから世の中に打ち出す。その努力と勇気があれば、企業を前に推し進める大きな原動力になります。「あまのじゃく」は、現状をブレイクスルーするための画期的な発想法なのです。

絶対やってはいけないことの、逆

先ほどの例は「普通はやるはずないこと」から考える「あまのじゃく」でしたが、もうひとつ、**「絶対にやってはいけないこと」を想像して、その逆をやるというのも、新しい発想を生み出す、いい「あまのじゃく」**だと思います。

たとえば、「企業として何をすべきか」を考えるのが難しいとき、「何をやれば世の中が怒るか」を想像して、その対局をやるわけです。例を挙げると、環境破壊は絶対にいけないから、環境対策をやる、というようなことですね。さらに踏み込んで、「廃棄物を大量に出す」という最悪の企業行動を考え、その対局として「廃棄物をまったく出さない」という活動ができないかにトライしてみるのもいいでしょう。

２００９年に、先輩のクリエイターである木村健太郎（きむらけんたろう）さんが実施した**「Sony Recycle Project JEANS」**は、広告という領域でこの「あまのじゃく」な発想をカタチにしたものでした。

それは、実際に、ソニーが広告で使用した垂れ幕の布をリサイクルし、ジーンズにして売り出すというもの。ジーンズとしてもとても評判だったうえに、広告用の幕という「出てもしかたない廃棄物」さえも出さないという活動が、ソニーの環境活動イメージに大きく貢献しました。まさに、「絶対にやってはいけないことの逆」を考え、「廃棄物を全く出さない」ことに行き着いた、エキセントリックで、素敵なアイデアだと思います。

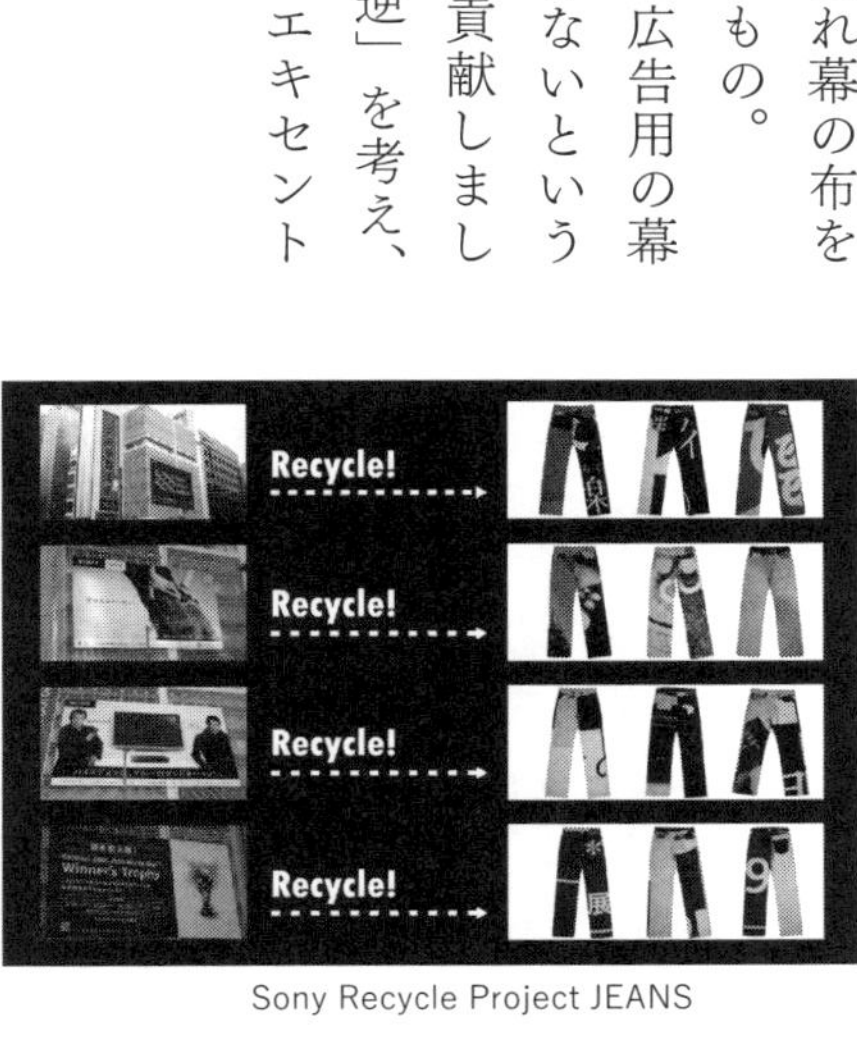

Sony Recycle Project JEANS

さらに、もうひとつ。

「トクすることをやるのではなく、ソンするけど嬉しいことを考えてみる」

という「あまのじゃく」の例を説明しましょう。代表例は、かの**「くまモン」**です。くまモンが売れた理由はいくつもありますが、そのひとつとして、キャラクターを「タダで自由に使えること」があると思います。

これは実は、**「I LOVE NEW YORK」**というニューヨークの観光活動で始まったアイデア。当時開発されたロゴマークの権利を一部開放して、誰でも使えるようにしたことが始まりとされています。

そして、「くまモン」もこの手法に倣（なら）った。とにかく、あのかわいいキャラクターが「タダで、自由に使える」というのは、かなりの驚きでした。本来、キャラクタービジネスは「使用料」を取るから成り立つのですが、それが「ゼロ」。世の中はそれを好意的に受け取り、急速に広がったわけです。

そして、結果的に、「使用料」は発生しないけれど、多くの商品化が行なわれ、熊本への収入が増え、目的であった熊本のPR活動もうまくいきました。

まさに、「ソンしてトクとれ」。昔の日本人が伝えていた**「あまのじゃく」発想を地でいったことで、大きな成果を生んだ**わけです。

実際、この「ソンしてトクとれ」発想は、ブレイクスルーのアイデアが生まれないときに、本当に役立ちます。だって、これまで誰もやっていない「トクを捨てる」発想ですからね。ソンをしたうえで、トクをする方法。できればこの視点を、みなさんの発想に取り入れてみてください。きっと面白い発見やブレイクスルーが生まれると思います。

ところでこれらの「あまのじゃく」発想の秘訣は、実は「メモ」にあります。

実は、みなさんは普段から、まっすぐ考えるクセがついているので、頭の中だけではなかなか「あまのじゃく」になれません。だからこそ、**メモを見ながら、少しずつ「あまのじゃく」になるわけ**です。

また、毎日の習慣として、少しだけ「あまのじゃく」になって世の中を見渡し、思いついたことをメモしておくのもよいことです。そうすることで、「あまのじゃく」な発想に慣れて、面白いアイデアが思いつくようになります。

この「あまのじゃくメモ」はとても、クリエイティブな発想を導いてくれます。「逆」に考えるだけで、新しいアイデアにたどり着ける、**画期的なメモ術です。**

ぜひ、一度、試してみてください。

さて、ここまで6つの「つくメモ」をご紹介してきました。

アイデアを考えるのは難しいことではなく、「楽しい」ということ。**クリエイティブ発想は誰もが手にできる「技術」**だということ。そして、その技術を使えば、誰もが、精度の高いアイデアをつくれるということ。

それらを実現するのが未来メモの2つめ、「つくメモ」でした。
では次の章に移りましょう。
次の章は、思っていることがもっと伝わるメモ術。「つたメモ」です。

第3章

つたメモ

もっと伝わる、もっと考えやすくなる。

メモを使って人を動かす3つのメソッド。

伝わるためには、技術がいる

ここまで、情報をまとめるメモ術と、アイデアをつくるためのメモ術をお話ししてきました。そして3つめは、伝わるメモ術です。

「伝える」から「伝わる」へ。

私は20年以上前からこのことを大切にしてきました。

実は、「伝える」という姿勢だと、話し手や書き手の一方的な「情報の押し付け」になることが多いのです。国会の答弁がちっとも理解できないのは、聞き手の理解を意識せず、「伝える」だけで終わることが原因なのです。

それに対し、相手のことを知り、その人たちがどうすればよく理解できるかを考え、言葉を選び、図や絵を使い、丁寧に届けた情報は「伝わる」のです。ここまでのメモ術でも、実は、この「伝わる」技術をベースに開発した様々なメソッドをお話ししてきました。

こちらが意図したことが、誰かに伝わるためには様々な技術が必要です。その技術こそが、情報の下ごしらえやレシピ化でした。つまり**「まとメモ」や「つくメモ」でお話ししたメソッドこそが、伝わるための技術**だったわけです。

さて、そろそろ、「伝わるメモ術」の話に移りましょう。私たちの仕事は自分だけではなく、上司や部下、同僚や友人、得意先や関係先など、周りの人々との連携で成り立っています。だからこそ意思疎通が大切。**自分の意思が伝わって初めて、いい仕事になる**のです。

すでにみなさんは、「まとメモ」で情報をわかりやすくまとめる技術を、そして「つくメモ」で、アイデアを生む技術を習得しています。その技術を使ったメモを使えば、仕事は大きく変わります。

実は、その2つのメモを写真に撮って、チームや得意先に渡すだけでも十分な効果が生まれます。まるで、私が若いときに見たメモのような効果ですね。

とはいえ今回、みなさんの意思がもっと伝わるように、いくつかの「伝わるメモ術」を用意しました。それがここからお話しする3つの「**つたメモ**」。**このメモ術を使うことで、より興味深く、面白く、正確に、意思が伝わるようになります。**

それでは、もっと伝わるためのメモ術「つたメモ」をご紹介しましょう。

つたメモ 1

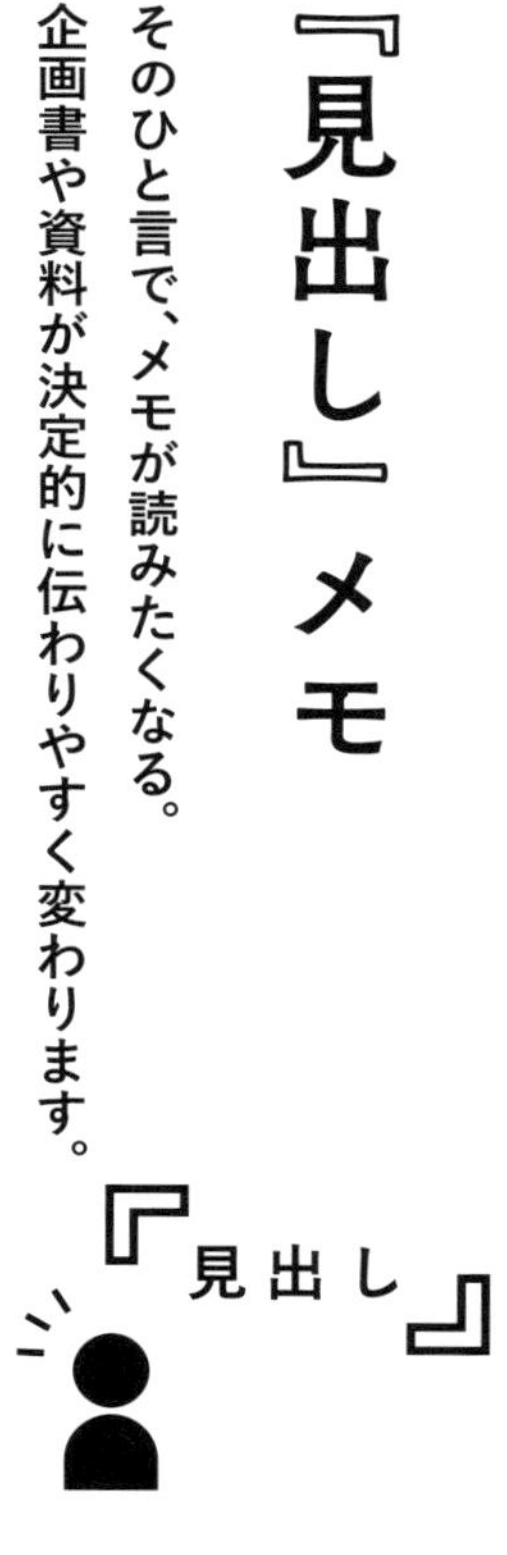

『見出し』メモ

そのひと言で、メモが読みたくなる。
企画書や資料が決定的に伝わりやすく変わります。

日本経済大復活！　2020年の目玉はこれだ！
路上で濃厚キス！　あのタレントがまたやった！
世界から賛辞の嵐！　日本の田舎で始まったサービスとは？

みなさんもきっと、一度はこのような見出しに興味を惹かれた経験があるでしょう。有名女優が脱いだとか、誰々と誰々が密会とか、政治家が暴言とか。思わず、「**それはどういうこと？**」と中身が見たくなりますよね？　見出しがあると、想像が働いて、その先が見たくなる。それは昔から変わらない、人の欲求のようです。

さて、メモは普通、自分のために書くものです。だから本来、雑誌のような「見出し」

は必要ないはず。

でも実は違います。なぜなら「見出し」があると、そのメモに興味が生まれ、そのメモを「もっと知りたい」という気持ちが生まれるからです。

たとえ未来の自分であっても、興味が生まれるのは大切。さらに、メモがより面白く読めるようになるので、想像力も掻き立てられるようになります。

人に見せるメモならなおさら。**読みたくないメモより、読みたくなるメモのほうが、いいに決まっていますものね。**

見出しには、カンタンな書き方がある

この本の序章で書いた「メモ年月日」は、この「見出しメモ」の一例です。

「メモ年月日」だけでも「見出し」としての効果はあるのですが、さらにひと工夫した「見出し」を付け加えると、より強く興味をそそり、読みたくなるメモになるのです。

では、早速、「見出しメモ」の書き方を紹介しましょう。まずは基本形から。

「メモ年月日＋クライアントと内容＋打ち合わせのメンバー」

これが基本形です。この内容をメモの見出しにするわけです。たとえば次のように使います。

2016・04・10／○×商事／○○○商品開発／部長・係長

これだけでも、メモの内容や会議の参加者がわかるので、メモが使いやすくなります。

さらに、そこにひと言**「会議での発言」**を加えるのも効果的。そのひと言があるだけで**格段に臨場感が上がり、普通のメモが面白いメモに変わります。**

たとえば部長のひと言を加えてみましょう。

2016・04・10／○×商事／○○○商品開発／部長・係長

『だから、もっと女性を意識しろよ！』

ほら、これだけでもメモの臨場感が増しました。この「見出し」が付くと、「なんだろう？」という興味をそそられて、メモの中身が読みたくなると思います。

このとき、**できるだけリアルな「発言」を書くのがうまくいくコツ**。そのほうがより臨場感が出て、記憶が鮮明によみがえるからです。

その他にも、そのときに生まれた**「発見」**を書くのもよいですね。

２０１６・04・10／○×商事／○○○商品開発／部長・係長

『20代が最も聴きたい音楽のジャンルは、なんと「流行っている曲」だった！』

これも、そのときの会議のトピックスがすぐにわかり、記憶が鮮明になります。メモを見た人も、何がポイントだったのか一目でわかるようになりますね。

もちろん、次回までの課題や議論すべきテーマを書くのもいいでしょう。

２０１６・04・10／○×商事／○○○商品開発／部長・係長

『次回までに、ロードマップを書いておく』

このひと言は、第１章「まとメモ」に出てきた「吹き出し」でも書き残せますが、「見出し」にすれば、より多くの人に、よりわかりやすく課題を伝えることができます。

でも「おいおい待てよ……、これは『見出し』じゃないのでは？」と思われた方も多いでしょう。たしかに雑誌のような「見出し」ではないですね。でも、これで機能的には十分。人の興味を惹く「見出し」としての効果を持ちますし、こういう「見出し」があるだけでも、メモがすごく使いやすくなるのです。

見出しを、もっと、感動的に！

さてここまでは「機能的な見出し」の例をご紹介しましたが、実は、もっと気の利いた見出しが書ければさらに読み手に伝わるようになります。また、**気の利いた見出しは、後々、企画書のタイトルや社内文書のヘッダーなどに使える文章にもなるのでとても便利。**実際、後で、うんうんと悩んでも出ない企画書のタイトルが、メモしているときには意外なほどスラスラ出ることもあるのです。

では、その「気の利いた見出し」はどのように書けばいいのでしょうか？　実は、みなさんがよく目にしている**Yahoo! トピックス**にヒントがあります。

Yahoo! トピックスとは、Yahoo! のトップ画面にある8つほどのニュース項目のこと。実はあの文章、必ず「13文字以下」で書かれているのをご存じでしょうか？

Yahoo! のトップページの閲覧数は毎日2・5億PV（ページビュー）以上と言われてます。日本の全人口が毎日2回ほど、あの13文字ほどの文字列を見ている計算になりますね。つまり、世の中の人がもっとも見慣れている見出しが13文字というわけです。そもそも、その文字数ぐらいが**パッと見ただけで意味が理解できる分量でもある**ので、まずはその文字量を目指すといいでしょう。

さて、その13文字でどう書けばいいのか？　それが知りたいですよね？　そこで、いい見出しを書く極意を、お話ししたいと思います。

書くのは次の3つだけ。

A. 場所や理由
B. 人やモノ
C. 行為

これらを組み合わせて書く。それだけです。たとえば――、

部長 打ち合わせで 机叩く
新規開発 女性方向で あと数案
飲み物で おじさん達を 幸せに

これが見出しに追加されると、下のようなメモになるわけです。

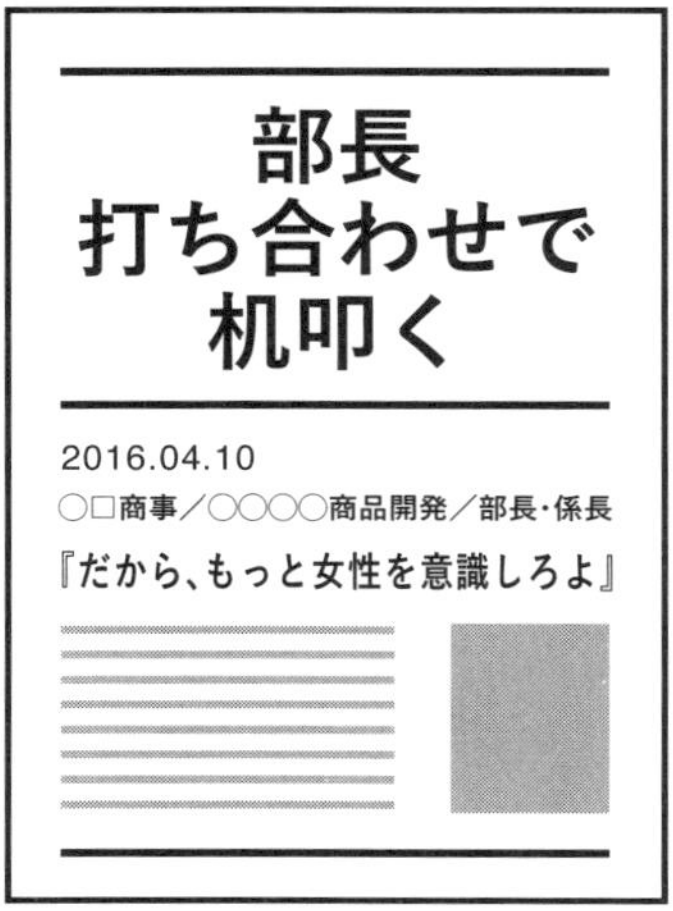

どうですか？　ちょっと川柳のようですが（笑）、メモに命が吹き込まれました。

このメモなら、なんだか**親近感も湧くし、面白そうな気がしませんか？**　きっと、未来で見返しても、チームの誰かにメールしても「そのときの空気感」がよみがえってきて、もっと読みたくなると思います。

このような「**臨場感**」は未来メモとして、

部長
打ち合わせで
机叩く

2016.04.10
○□商事／○○○○商品開発／部長・係長
『だから、もっと女性を意識しろよ』

とても重要。それだけでもいろいろ思い出せるし、いきいきと考えられるようになるからです。

このように「見出し」があるだけで、**メモに臨場感が生まれ、チームや得意先の人々も、よりわかりやすく、より興味を持ってメモを見ることができるようになります。**

これが「つたメモ」の１つめ、**「見出しメモ」**です。「見出し」をつくるだけで、ただの文字のカタマリを、興味の湧くコンテンツとして見せるメモ術。ちょっとした「見出し」を付けるだけで、そのメモを見た人が「楽しそう」「面白そう」という気持ちになるメソッドです。

先にも話したように、人の脳は、楽しいことや面白いことのほうが、考える力が上がります。だから少しでも面白く、楽しくすることが大切。「見出し」を付けるだけでも、メモが楽しくなるし、いろんなことが思い出せるようになり、仕事のアイデアもグンと考えやすくなります。

では次に、２つめの「つたメモ」に移りましょう。視覚に訴えて、より簡単に、より明確なイメージを伝える**「ズメモ」**です。

つたメモ

2

ズメモ

伝え方に迷ったら、図を書こう！

難しいことは、カタチにすると、伝わるのです。

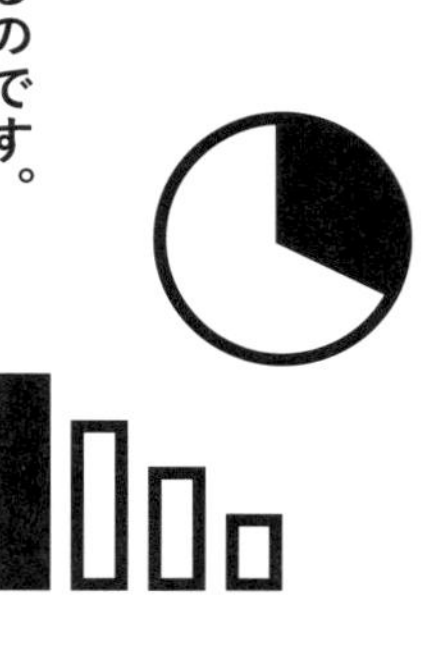

第2章「つくメモ」で話した**「マンガメモ」**は、頭の中でモヤモヤしていることを「イラスト」と「セリフ」で書き出し、それを見ることで、頭を整理し、視覚的にゴールをイメージするメモ術でした。誰が、どこで、どうするのかがイメージしやすくなり、よりクリエイティブな発想を手に入れられる、というお話をしましたね。

人は、文字という情報にビジュアルの情報を加えることで、より活発に想像力を使えるようになります。写真や映画、マンガなどは、その効果を最大限に引き出し、より深い共感とイマジネーションを喚起している好例ですね。

実は、その効果を生み出しているポイントこそが「ビジュアル」。そして、そのビジュアルの効果を「伝わる情報」のために使うのが、この**「ズメモ」**です。

先にも書きましたが「未来メモ」の効用のひとつは、ごちゃごちゃした情報の**「整理」**

と**「イメージ化」**により、スムーズに理解が進むことでした。その2つのおかげで、誰でも気持ちよく理解し、楽しく考えることができるようになるのです。

今回ご紹介する「ズメモ」は、その「整理」と「イメージ化」を行なうメモ術の中でも、かなりスッキリ度合いが強いメソッド。情報や内容を「カタチ」にして並べるメモですが、このメモ術を使うだけで、一見すると「なんじゃこりゃ?」と思える「数字の羅列」や「専門用語でつくられた概念」が意外なほどわかりやすく「整理」され、誰もが簡単に理解できるようになるのです。

さて、理屈で話しているよりも、実際に「ズメモ」を使って説明をしていきましょう。

まず「ズメモ」には、3つの種類があります。

1. 大小ズ
2. 設計ズ
3. 関係ズ

それでは、「大小ズ」から説明しましょう。

「大小ズ」。大きさがわかれば、大事さがわかる

モノゴトにはすべて大小があります。もちろん、物理的な大小や長短はありますが、それ以外にも、仕事の案件のように**「重要度という意味での大小」**もありますよね。

重要人物の「声」は大きいですし、大好きな彼女は心の中で大きな存在を占めるでしょう。でも、そういう**「重要度」や「存在感」のような大小は、文字では表現がしづらい**ですよね。どうしても書きたい場合は「重要だ」と文字で書き加えるしかありません。けれども、その「大小」をビジュアルで表すと、誰もが、その大小を一瞬で理解できるのです。

たとえば、左の「ズ」をご覧ください。見るだけで、A社のほうがB社よりも重要度が高く、彼女よりも先輩の重要度が大きいことが一目でわかりますよね。

このように、視覚的な大小を使って表すと、なかなか表現しにくいモノゴトの優劣も直感的にわかるようになります。

ところで、普段の仕事で扱う数字も、数字のまま見るよりも、図にしたほうが明快にな

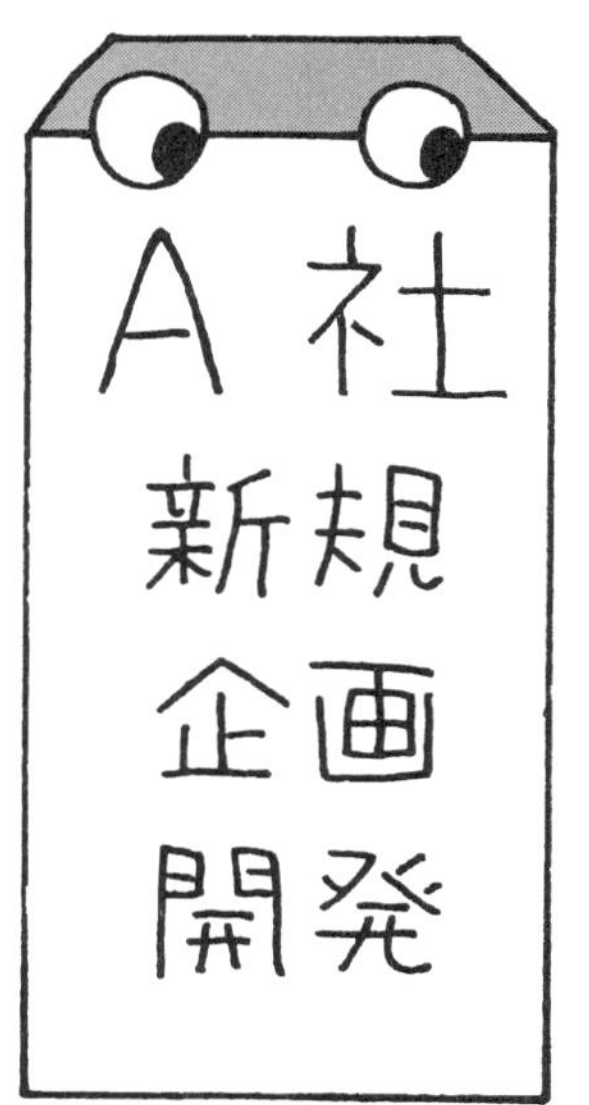
A社
新規
企画
開発

！
こっちが大切だな…

B社
見積り
制作

彼女
友人
同僚
先輩
ごめん先輩が
うるさくて…

り、その規模感が肌で読み取れます。**数字という文字情報で見ていたものを、「大きさ」で表して視覚化すると、その規模や割合の意味がすっきりとハラオチするから**です。

ひとつ例を出してみましょう。ここに、普段自宅で飲んでいるビール類についてのアンケート結果の数字があります。上位5銘柄を選んだ人のうちスーパードライが「42・8％」。一番搾りが「17・5％」。ザ・プレミアム・モルツが「15・5％」。金麦が「14・4％」。エビスビールが「9・8％」なのですが、数字だとその大小が実感しづらいですよね。

そこで「大小ズ」のひとつ、円グラフにしてみましょう。

左のズのように「数字を面積で実感」すると、スーパードライが強いことや、プレミアムビールが意外に多く飲まれていることなどがわかります。

さらに考えを進めると、たとえば、ザ・プレミアム・モルツが将来、一位のブランドになるためには、スーパードライの倍以上の情報量の蓄積や、営業努力が必要になるな……などが直感的に理解できるようになります。

この「直感的な理解」が、ブレイクスルーのためにはとても重要です。イメージを実感して、そこから考えるほうが、的を射たアイデアが生まれるからです。反対に、数字だけにとらわれると、数字を積み上げるだけの「数字遊び」になったり、「気合いでなんとか

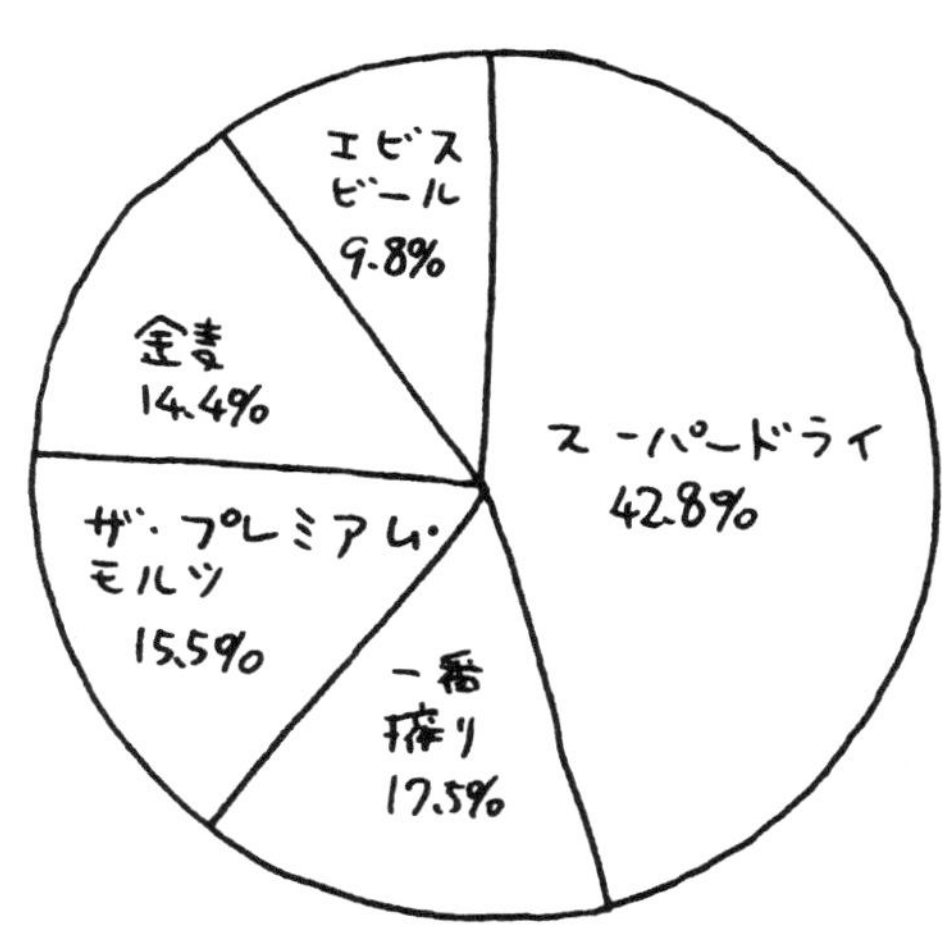

数値は、＠DIME インターネット調査より

なる」と思ったりしてしまいがち。

直感的な理解がないから、理屈で強引に「なんとかなる」と言えるのですね。**大切なのは、まずリアルな数字の大小を視覚的に実感すること。その実感から、本当に必要なアイデアを生む**。それが、仕事をドライブするための有効な手段だと思います。

ところで、先ほども述べたように、この手法は数字だけではなく、仕事の重要度やマインドシェアの大小にも使えます。たとえば、現在抱えている仕事の重要度に大小を付けると、自分でもモヤモヤしていた仕事の優劣がわかったりします。そう、部長からの仕事は大きく、課長の仕事はそこそこに……なんてね（笑）。

ここまで見てきたように、なかなかイメージしづらい「重要度」や「規模感」なども、大小ズを使えば簡単にイメージでき、アイデアや企画を進める指針になります。ぜひ、一度、使ってみてください。さて、次に2つめのズメモ、**「設計ズ」**です。

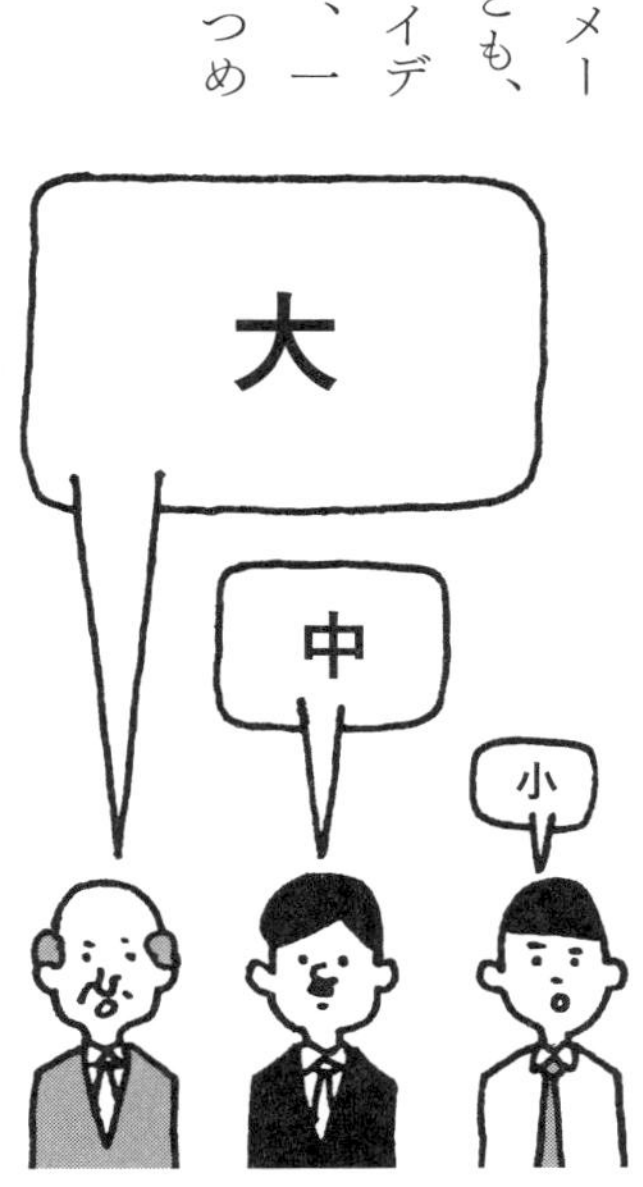

「設計ズ」。複雑なものを直感的に説明できる

モノゴトには、すべて関係があります。

たとえば、世の中のニーズから新製品は生まれ、新技術が新しい解決策を生んでいる。過去の成功から学んだ方法で未来へ挑戦したり、世の中に生まれた風潮が新しい革新へとつながったりする。悪ふざけすると罰が与えられ、悪口を言うとケンカになる。

そう、すべてのモノゴトはつながり、関係しながら存在しています。

ただ、これらの関係を文字で書かれると、これもまた、なかなか理解しづらい。たとえば、AとBの技術から、Cというメリットが生まれ、そのメリットがDというアウトプットを生んだ……なんて言われても、理解するまでに時間がかかります。それが、どういう関係なのかを、なかなかイメージできていないからですね。

そこで**「設計ズ」**の登場です。

「設計ズ」は関係しているモノゴトを「建物」のイメージにして並べる「ズメモ」。様々な情報を、**「建物」という単純なイメージにすることで、それぞれの関係がわかり、その中で何が大切なのかが理解しやすくなるのです。**

建物のようなカタチにするのは、そのほうが構造をイメージしやすいからです。壁があり柱があって建っている……、そういうイメージをモノゴトの関係に持ち込むことで、**関係性や重要度がわかりやすくなる**のです。

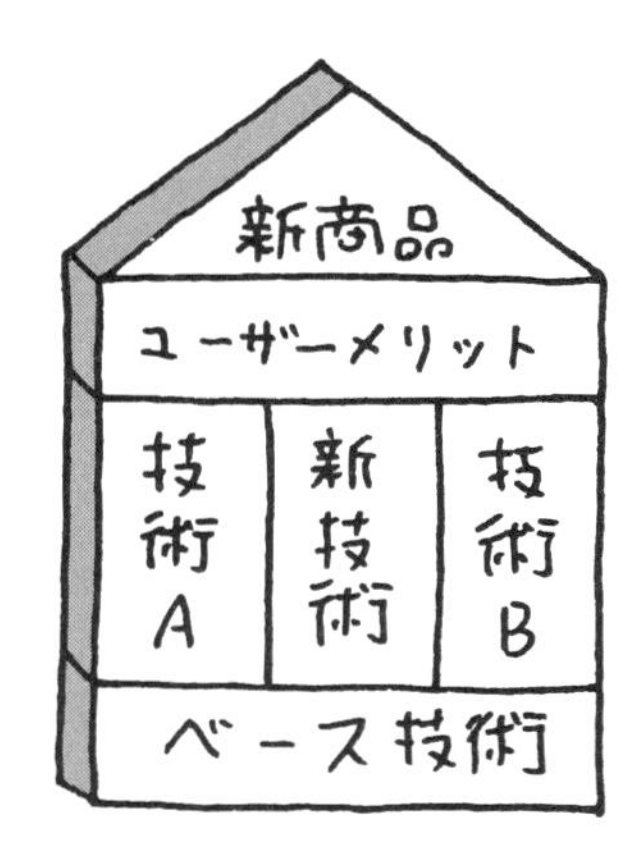

たとえば、新しい製品を開発したとき、その中に入っている技術と新しい性能を別々に伝えると、わかりづらいのですが、「設計ズ」を使って視覚的に伝えると、**「この技術によって、この性能が生まれている」**ことが、より早く、より深く伝わります。

「設計ズ」はチーム内での共有はもちろん、プレゼンなどにも応用できるメモ術なのです。

では、この「設計ズ」をさらに理解してもらうために、ひとつ例を挙げて説明してみましょう。

テーマは、最近流行している**「airbnb」**。ホテルに代わる画期的な宿泊システムとして、すでに大人気ですが、このサービスを知らない人に仕組みを説明するのは少々難しいのです。そこで「設計ズ」を使い、この新サービスを知らない人にもわかるように説明してみたいと思います。その前にまずは文字で説明を。

airbnbは、ホテルとして利用されていない部屋を、ホテル的に短期使用するためのサービスです。「貸したい部屋をサイトに載せたい」という貸主と「部屋を借りたい」借主のニーズを結ぶことにサービスの基盤があります。

ただし、重要なのが「お金を直接やり取りすると面倒だ」ということ。airbnbは、その

「面倒」と「不安」をＷＥＢシステムで媒介することによって解消しています。

まず、部屋を貸すホストが無料でサイト内に部屋を掲載。それをゲストが閲覧し、予約、やり取りして予約を完了。このときにゲストには費用は発生しません。つまり閲覧から予約までは一切費用がかからないわけです。

airbnbは実際の「宿泊」が成立したときに「部屋代」から6～12％を徴収します。さらに、ホストから決済代行費用として宿泊代の３％を取ることでビジネスを成立させています。

どうでしょう？　これでもかなり「わかりやすく書いた」のですが、サービスの概念はわかるけれど、お金の行き来や全体の構造はまだわかりにくいままですね。では、これを下のような「ズ」にしてみましょう。

いかがですか？　ちょっと見るだけで、ど

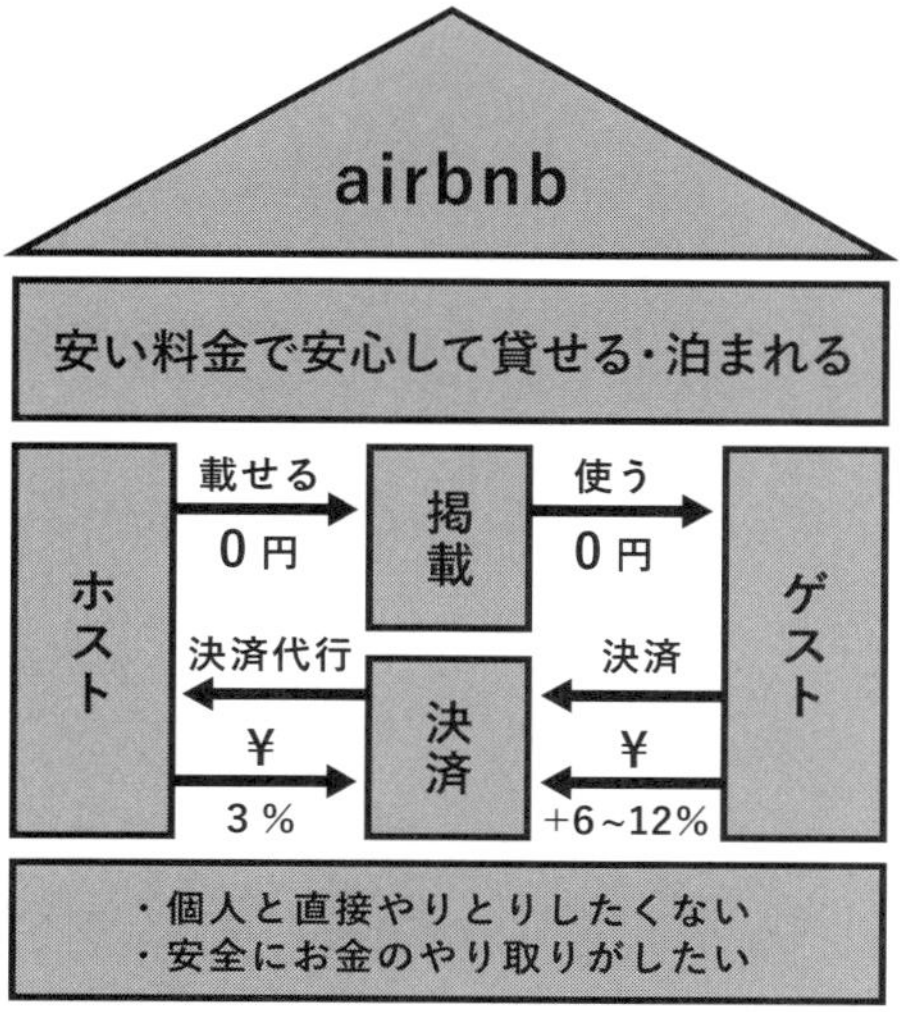
airbnb
安い料金で安心して貸せる・泊まれる
ホスト
載せる
0円
掲載
使う
0円
ゲスト
決済代行
¥
3％
決済
決済
¥
+6～12％
・個人と直接やりとりしたくない
・安全にお金のやり取りがしたい
copyright(c)2014 Shin Fujimaki

ういう仕組みで、何がニーズで、どういうお金の流れがあるかがわかると思います。ニーズを土台に、メリットを屋根側に書くことで、ニーズと解決方向もよくわかります。

さらに、ホストとゲストを壁にして、彼らがどうお金をやりとりするかを「家の梁（はり）」のように書いたことでお金の流れがスムーズにわかるようになりました。

このように**モノゴトの構造をビジュアルでイメージできると、人は難しい内容でも直感的に理解できるようになります。**こう説明されれば、ホストもゲストも理解しやすいでしょう。ちなみにこのような「設計ズ」を書くときは、複雑にせず、今回の「お金の流れ」のように、シンプルなテーマにそって考えるとよりわかりやすくなります。

さて、それでは、「ズメモ」の最後、**「関係ズ」**に移りましょう。

「関係ズ」。関係を線と太さでイメージ化

210〜211ページに2つの「ズ」があります。

ひとつは福岡県、もうひとつは広島県の「関係ズ」。それぞれの県の居住者の方が「地

名を聞いて思い浮かべること」を、言葉のつながりで図にしたものです（※「ひろしま」ブランドコンセプトブックより）。図の中央の単語ほど多くの人が答えたもの。線が太いほど関係が強いものです。

この「ズ」で見ると、福岡の中心は「おいしい」、広島の中心は「宮島」でした。これらはつまり、その県に住んでいる人が、その県に対して一番に思うことであり、彼らの誇りでもあります。

面白いのは、それぞれに出てくる「地名」や「出身タレント」「名産」などがその地域を表していること。博多に行くと、その地域の人がみんな「住みやすい街だよ」と言いますが、やはりそれが「ズ」にも表れています。広島は、やっぱり「カープ」が強いし、もちろん原爆の記憶が風化せずに息づいていることもわかります。

意外なのは、福岡の「ホークス」がそれほど大きくないことと、広島の一番の推しが「宮島」ということ。「お好み焼き」や「牡蠣」じゃないんですね。これにはちょっと驚きました。さらに福岡は「観光地」のイメージが弱く、それが今後の地域活性化の問題点になるかもしれないこと。広島は「住みやすい」というイメージが弱く、住民の満足度が課題になることなども見えてきます。

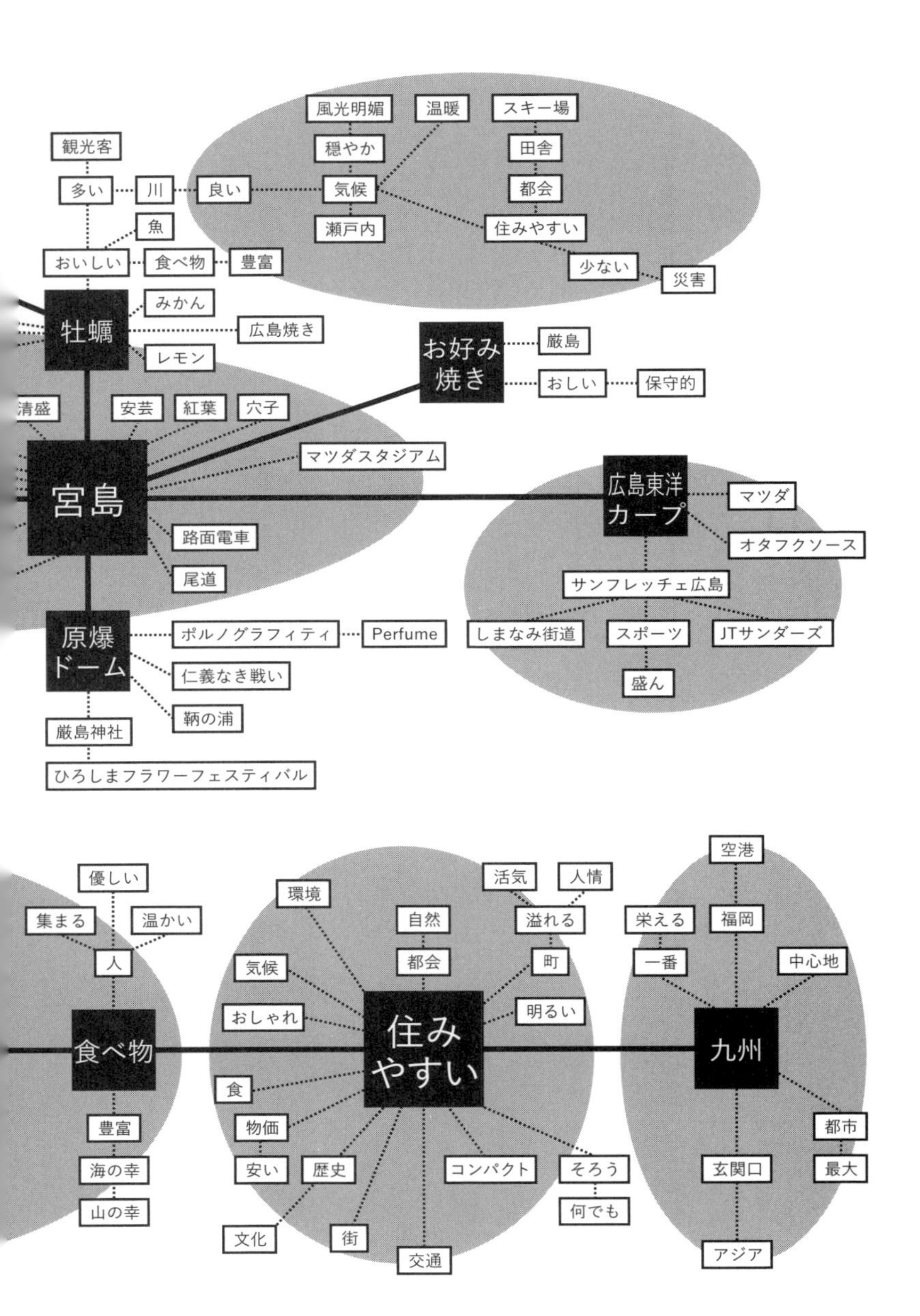
風光明媚
温暖
スキー場
観光客
穏やか
田舎
多い
川
良い
気候
都会
魚
瀬戸内
住みやすい
おいしい
食べ物
豊富
少ない
災害
牡蠣
みかん
広島焼き
お好み焼き
厳島
レモン
おしい
保守的
清盛
安芸
紅葉
穴子
マツダスタジアム
宮島
広島東洋カープ
マツダ
オタフクソース
路面電車
尾道
サンフレッチェ広島
原爆ドーム
ポルノグラフィティ
Perfume
しまなみ街道
スポーツ
JTサンダーズ
仁義なき戦い
盛ん
鞆の浦
厳島神社
ひろしまフラワーフェスティバル
空港
優しい
活気
人情
環境
集まる
温かい
自然
溢れる
栄える
福岡
人
気候
都会
町
一番
中心地
おしゃれ
明るい
食べ物
住みやすい
九州
食
豊富
物価
都市
海の幸
安い
歴史
コンパクト
そろう
玄関口
最大
山の幸
何でも
文化
街
交通
アジア

広島県居住者

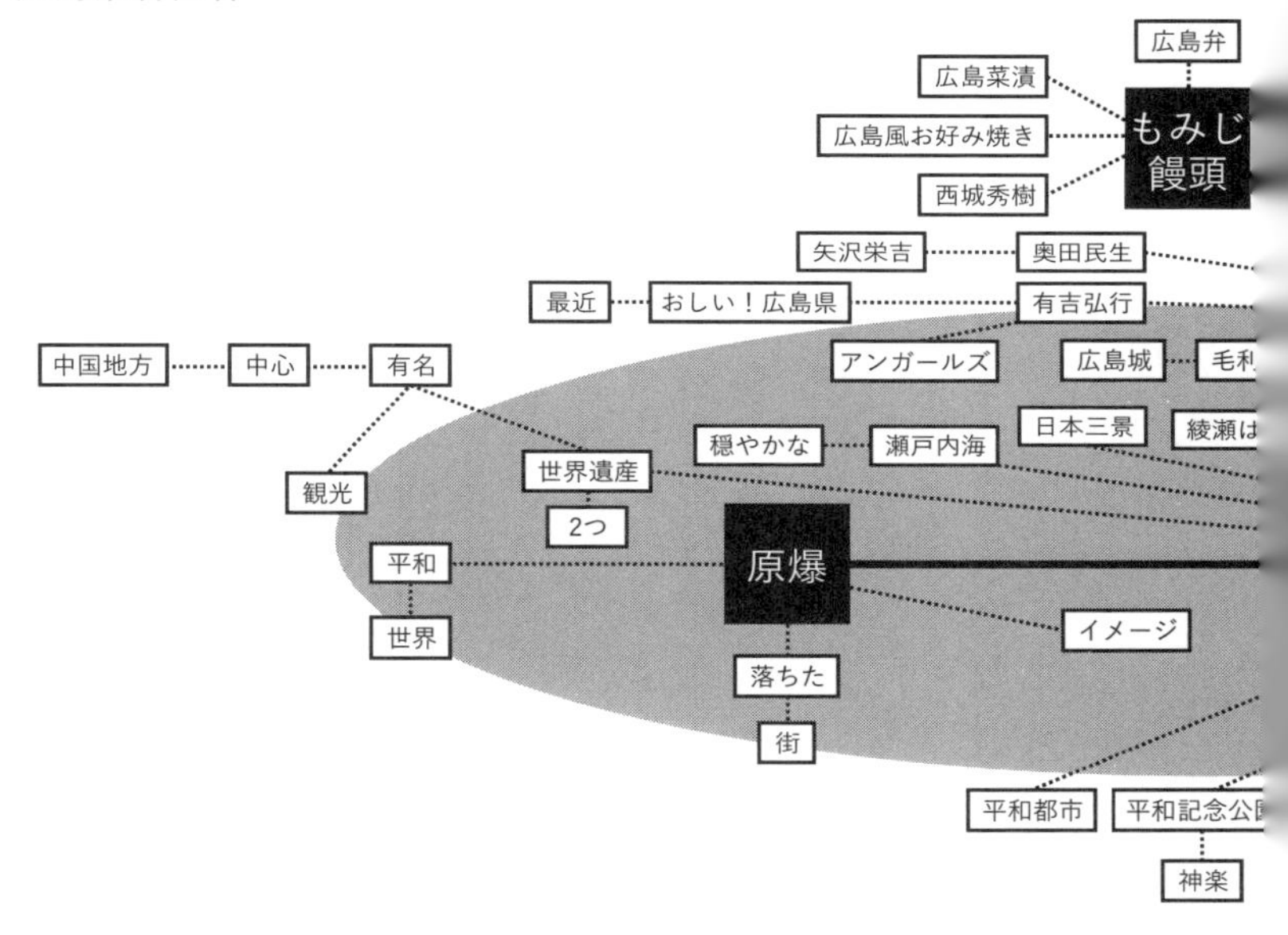

福岡県居住者

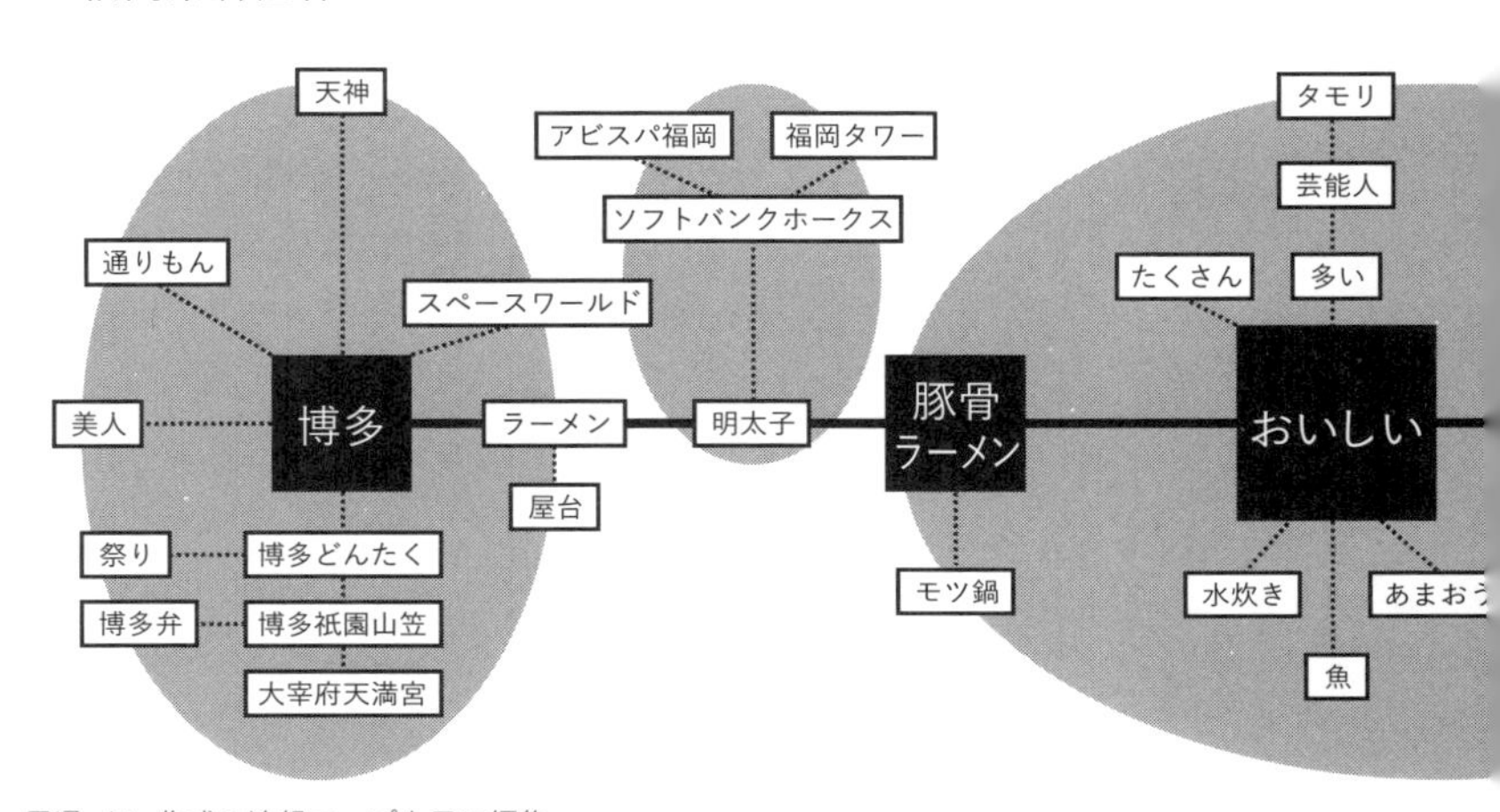

電通 abic 作成の連想マップを元に編集

なります。

「関係ズ」を使えば、現状のブランドイメージや課題が、誰にでも、簡単にわかるように

さらに、各項目の結びつきも把握できるので、ブランドのイメージアップのために関連の強い項目をまとめてPRしたりすることもできます。

このようにイメージの大きさとつながりを知ることで、販売促進やブランディングを強化できるのが「関係ズ」の効果。たとえば、新商品のイメージ調査で使えば、競合商品との関係や自社の強み、弱みが一目瞭然。タレントを使って広告をしている場合は、そのタレントと商品の結びつきや、メッセージの浸透度までも、ひと目で理解できます。小さな商店であっても大きなブランドであっても、この「関係ズ」を利用すれば、誰でも簡単に、今の状況や課題がわかるようになるのです。

では次に、どのようにこの「関係ズ」をつくるかを説明しましょう。

まずテーマにそって意味を集めたら、たくさん意見が出ている項目を真ん中へ書き、それと関係があるものをその周りに書いていきます。このときに結びつきの強い関係は、太い線でつなぎ、そうでないものは細い線でつなぎます。

たとえば、渋谷の「関係ズ」をつくってイメージの相関を見てみましょう。まず渋谷と聞いて出てくるワードを集計。それぞれをズの中にプロットします。

「渋谷」「若者」「駅」「センター街」という意見が多かったとすれば、大きさを反映しながら真ん中にそれらを書きます。さらに、それらの関連した項目を線の太さを変えてつなぎます。そうすることで、その地域と強く結びついている内容がわかります。「若者」という言葉と関連した地名として「代官山」などが出てくれば、またそれをその周りに書く。そしてまたその「代官山」とつながる言葉を書いていく……というわけです。

これを見れば、「おしゃれ」「カフェ」などのイメージは「代官山」などにはあるが、「渋谷」には薄いとわかるわけですね。

ここに挙げた「関係ズ」はまだ途中段階ですが、これを続けていけば、渋谷の強みや弱みがよくわかる「ズ」ができあがります。そして、それをビジネスに使えば、様々な効果が生まれるというわけです。これはもちろん一例ですが、この手法で、クルマや化粧品、飲食店などを関係ズにすると、開発に役立ついろんな示唆が見てきます。

この「関係ズ」は、市場調査を行ないそのデータで精密につくっていくこともできますが、実は、チーム内で話し合い、たくさん言葉を出してつくるのも効果的。私は、店舗開発のときにはこの「関係ズ」をよく使って、開発イメージをつくっています。

当然ですが、これらの関係ズを文字だけで書くと、非常にわかりづらくなります。「これとこれが関係していて、これとこれは関係していません……」なんて書かれてもちっとも理解できず、ただ読みにくい情報のカタマリになります。**やはりこのような複雑な関係の場合は、ビジュアルを使って視覚的に理解することが重要。**そうすることで、周りの人々に、同じイメージや課題を伝えることもできるようになるのです。

いかがですか？　3つの「ズメモ」。どれも、難しい情報をイメージ化することで、「伝わる情報」にするシンプルなメモ術でした。どれかをひとつ使うだけでも、自分の思ったことや、複雑な情報が瞬時に伝わるようになるので、ぜひ試してみてください。

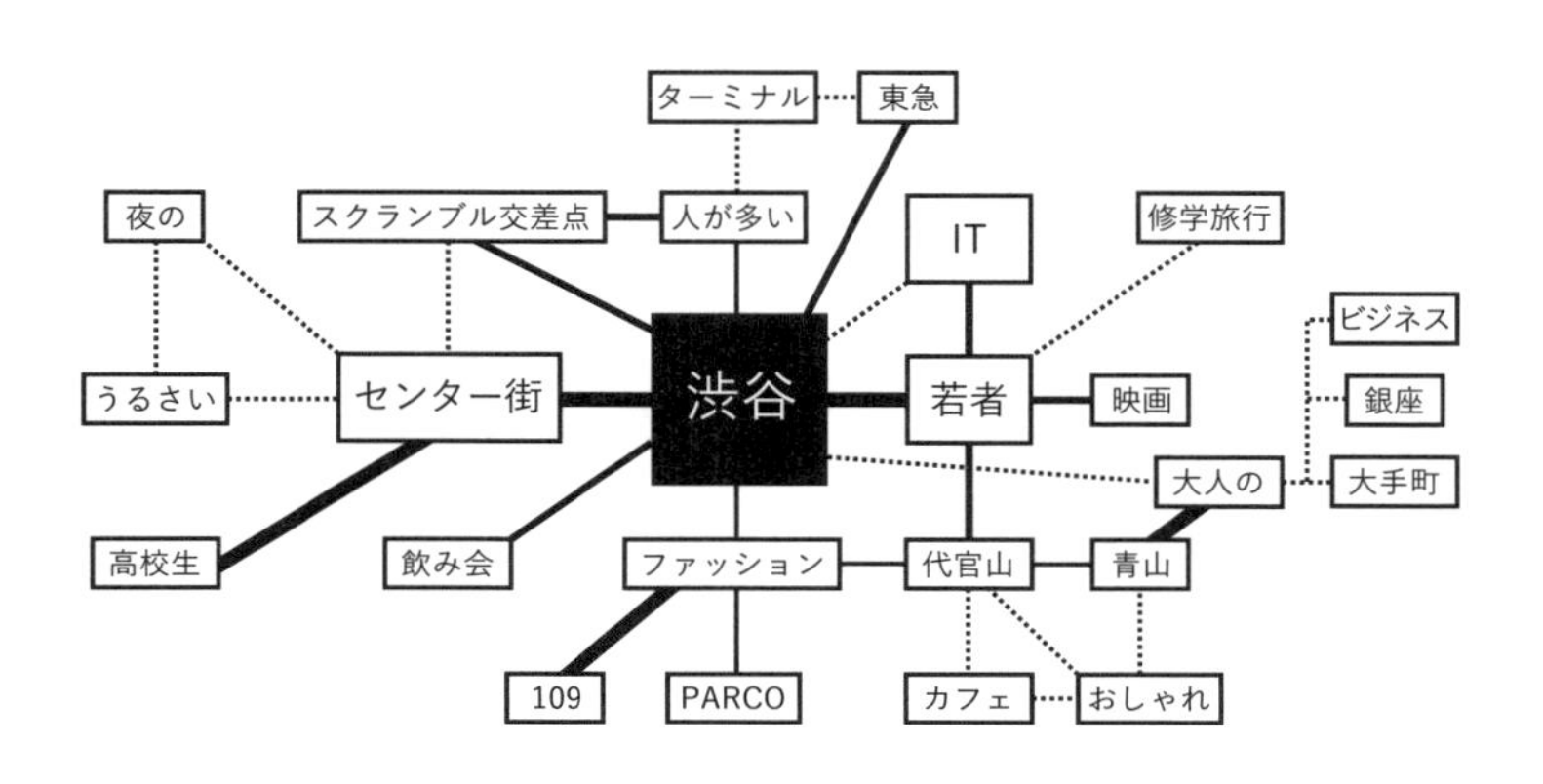

これで２つめの「つたメモ」を説明し終えました。

次は最後の「つたメモ」、スピーチなどで役立つメモ術を紹介しましょう。

誰もがうまく、しかも原稿を見なくても、話せるようになるための「スピーチメモ」です。

つたメモ

3

スピーチメモ

原稿を読まず、まっすぐ向いて話す。
これは、スピーチがうまくなる、メモ術です。

突然ですが、スピーチのヒントは書籍のタイトルにあります。

そもそも書籍のタイトルの役割は何でしょう？

もちろん作品を魅力的に見せるためのものですが、最近では、本屋さんやネット書店でふと本を見かけた人を、興味深いワードでキャッチして購買させるための**「宣伝文句」**でもあります。だからこそ、**興味のない人にも興味を持ってもらうための技術が、タイトルにはいっぱい盛り込まれています。**

ところが、本に「興味を持たせる」と言葉で書くのは簡単ですが、実現するのは、もちろん簡単ではありません。それはなぜか？　ほとんどの人が、普段の生活では、その本で書かれている内容のことなんかちっとも考えてないからです。

何か関連していることを考えながら本を買いに来た人なら、その本の内容が書かれたタイトルだけで手に取ることもあるでしょうが、本がたくさん売れるためには、そもそも「興味のない人」までも取り込む必要があるわけです。だから書籍のタイトルには、興味のない人が興味を持つプロセス、つまり**「興味の顕在化」**のメソッドが詰まっているのです。

人が興味を持つときの言葉、「なぜ？」

『さおだけ屋はなぜ潰れないのか？』
『なぜ、エグゼクティブはゴルフをするのか？』
『なぜ、社長のベンツは4ドアなのか？』（以上、傍点、筆者）

これらは、少し前に世の中を席巻したベストセラーのタイトルです。みなさんも、一度は手に取ってみたことがあるのではないでしょうか？

「なぜ、〇〇は、××なのか？」。それがこの3冊に共通する方法論です。そして、この

3冊以外にも、このタイプのタイトルが本当に数多く存在しています。

なぜでしょう？　答えはもちろん、売れるから。実は、このタイトルの手法が「興味の顕在化」を起こし、書籍の中身への興味を掻き立てるからなのです。

人の興味は「疑問と解決」の間にあります。

「なぜなんだろう？　……そうか！」の間に興味は生まれるというわけですね。つまり、「なぜ？」は、人が興味を持つ最初の言葉というわけです。

「なぜ太陽は明るいのか？」「なぜ男は女を愛するのか？」「なぜ1＋1は2なのか？」。「なぜ」という言葉で始まると、人は、それはどういうことかな？　と興味を持たずにいられなくなります。だから「なぜ」を書籍のタイトルに使う。興味のない人を振り向かせるには適切なワードだからです。

また、別の「興味の顕在化」を起こす手法もあります。それが「**呼応**」です。

次の言葉は、その昔、社会現象化した雑誌の表紙タイトル（『BRUTUS』1996年8月15日・9月1日合併号）です。

君はフェルメールを見たか？

それは、日本ではまだ一般の人にまで知られていなかった画家フェルメールの特集でしたが、とにかくこのタイトルは衝撃的でした。当時、私はこの雑誌タイトルを書店で偶然見かけ、「フェルメールを見たか？」と問われたので、つい**「見てませんが……見たほうがいいんですね」**と思いました。これが「呼応」。つまり、呼びかけと応答です。

人は、呼びかけられると、無意識に応えたくなるのです。

たとえば、「ビール好きのみなさん」と言われれば、ビールが好きな人は「なんでしょう？」と心で思いますし、「あなたはサードウェーブコーヒーを知っているか？」と聞かれれば、「知らないですが、知っておいたほうがいいのですね」と思ってしまうのです。

私が、この「呼応」という手法を広告の仕事に応用したのが、2014年に東京にオープンしたホテル、**アンダーズ東京**の導入キャンペーンでした。

アンダーズは、すでに世界的に有名なホテルでしたが、まだまだ日本での認知は高くなく、それが課題でした。

そこで、この「呼応」を使い、呼びかけてみました。それが——、

「あなたはANdAZを知っていますか？」

するとすぐに反応が出ました。「なんだろう？」「知らないけど興味ある」「調べてみた」というSNSでの投稿が増え、雑誌などのメディアからも多数問い合わせが来ました。みなさん、興味が惹かれたわけですね。呼びかけると応えたくなる。それは人間の本能なのかもしれません。みなさんもぜひ、使ってみてください。

数字があると部数が伸びる

さらに、「興味の顕在化」を起こす強力な武器が**「数字」**です。『7つの習慣®』。『伝え方が9割』。「10の法則」。「99％成功する」……などなど。今も書店に行けば、必ず「数字」が入ったタイトルと出会えます。

人は数字を見ると、なぜか大切なことのように感じ、さらにその数字の意味を知りたくなります。**数字は人の心を動かす魔法の言葉**なんですね。

その他にも、本をヒットさせるためのタイトルの法則というのはいくつもあります。たとえば、「成功した人だけが知っている」とか「東大生だけが知っている」のように、「**〇〇だけが知っている**」という言葉も、売れる本によく付いていますね。

また、「**〇〇だけど、××やってみた**」というタイトルも、興味を惹くタイトルとされています。簡単に何かを知ることができるイメージが生まれるからですね。

さらに「**〇〇力**」や「**たったひとつの**」なども、効果的。また、第２章の「ハードルメモ」でも紹介した「**それは本当に〇〇するのか？**」という言い方も、売れる本を生み出すタイトルとして効果的です。これら以外にもたくさんの「売れるタイトルの法則」があるので、調べてみると面白いでしょう。

書籍タイトルを並べてスピーチする

さて、今回の話は「スピーチメモ」でしたね。冒頭で、手元の原稿を見ずにスピーチをしたり、スピーチをうまく進められるような「メモ術」と書きました。なのに、ずっと「書籍のタイトル」の話ばかり。そう、もうおわかりかと思いますが、その**書籍のタイトルの手法が、スピーチに役立つのです。**

スピーチで大切なのは、興味のない人を振り向かせ、話の中身に興味を持たせること。

実は、書籍タイトルの役割と同じです。さらに、スピーチのときに、話し手がメモ原稿を読まなくてもいいような手段があれば最高ですよね。実は、そのどちらも叶えてくれるのが、この「スピーチメモ」。**手元の原稿を見ずに、聞いている人を惹きつけ、さらに何を話すべきかを次々にアシストしてくれるメモ術**です。

では、「スピーチメモ」についてお話ししましょう。

「スピーチメモ」の使い方は簡単。まず、ここまでにご紹介した「書籍のタイトル」の手法を使い、いくつかの言葉を生みます。

ここではまず**「ノームコア」**という流行ワードを使ってスピーチメモをつくってみましょう。

さて、この「ノームコア」。みなさんご存じでしたか？　実は、最近流行しているワードのひとつで、会議やスピーチのタイトルとしてもありそうな例なのですが、私は、最近まで何のことかちっとも知りませんでした。でも、大丈夫。たとえよくわからない言葉でも売れる書籍タイトルの法則を使うと、なんだか聞きたくなるスピーチができるのです。

1．君は、「ノームコア」を知っているか？
2．なぜ、「ノームコア」は、売れるのか？
3．「ノームコア」の好意度は9割
4．「ノームコア」を知る10の習慣
5．東大生だけが知っている「ノームコア」の活用法
6．「ノームコア」は本当に、未来を豊かにするか？

なんだか「ノームコア」を知らないとダメな気分になってきませんか？　しかも、ノームコアを調べたくなってきた……そんな方も多いでしょう。

「スピーチメモ」の効果は、今から話すワードが何かわからなくても、相手に興味を持たせられること。相手が知らないことについて数分間、興味を持続させる

ことができるのです。

先ほど、手元の原稿を見ずに聴き手を惹きつけることができる、と述べました。なぜなら、この1～6のような1行のメモを画面に出しながら話せば、手元の原稿を読まなくても、話すきっかけが生まれ、そのきっかけに従って自分の考えを話すことができるからです。

たとえば「『ノームコア』を知っているか？」というメモが出れば、**「みなさんはご存じでしたか？　実は、私も知らなかったのですが……」**なんて話し始める。「なぜ『ノームコア』は、売れるのか？」なら、**「それは実は、こういう理由がありまして……」**のような説明をしていく。もちろん少しは練習も必要ですが、このメモをきっかけとして、聞き手と同じ意識で話していけるので伝わりやすいというわけです。重要なのは、

1．スピーチメモは、書籍タイトルに似せてつくり、人の興味を惹くこと。
2．画面に1行だけメモを出して、それを見ながら話すこと。
3．聞き手と同じスタンスで疑問を解決していくということ。

この3点になります。最初は、書籍のタイトルのパターンを、そのまま使ってもいいでしょう。意外なほど、スピーチや会議が盛り上がると思います。

ところで、「結局、ノームコアってなんなんだよ？」と思ってる方に、少しだけ説明しましょう。

ノームコアとは「究極の普通」と訳されるファッション用語のひとつ。スティーブ・ジョブズのように、毎日、同じような服を着ることで逆に個性化するというスタイルを指しますが、今や、生き方や経済の用語としても使われるようになり、時代を象徴する言葉のひとつと言われています。

これで「君はノームコアを知っているか？」と尋ねられても、はい、知ってますと答えられますね（笑）。

1行タイトルがあれば、話しやすい

さて、この「スピーチメモ」は、結婚式などのスピーチでも、もちろん使えます。大きなモニターがあれば、そこに1行ずつ言葉を出して話すとかなり盛り上がります。もしモニターがない場合は、手元にフリップなどを用意すると話しやすいでしょう。

仮に「山本貴文さん」という架空の人が結婚するとしましょう。そのときのスピーチでいきなり、「えー、山本さんの人となりについては……」と話し出すよりも、

君は「山本貴文」を知っているか？

というタイトルを出して話したほうが、話しやすく盛り上がります。タイトルがあれば、それをきっかけに話を始めやすく、聴いている側も、話に入り込みやすくなるからです。

なぜ「山本貴文」は、結婚を決めたのか？

↓「なぜなんでしょうね？　ではまず馴れ初めからお話ししましょう」

結婚は、山本貴文が9割

↓「なんだこのタイトルと思われましたか？　実は、この結婚は9割が彼の望みで……」

東大生だけが知っている山本貴文

↓「というわけで、彼の周りにいる東大生に彼の魅力を聞いてみました……」

山本貴文が始める10の習慣

↓「今回の結婚を機に、彼は10の新しい習慣を始めるそうです。たとえば……」

山本貴文は本当に、未来を豊かにするか？

↓「このタイトルについて、彼の友人で座談会を開きました。そのときの映像です……」

山本貴文の後輩ですが、山本貴文のクセをやってみた

↓「彼の後輩に集まってもらい、彼のクセをものまねしてもらいました……」

このように、話を始めるきっかけに、書籍のタイトルを真似て1行書く。そうするだけで会場は盛り上がります。そのうえ、何もしないで話すときよりも、格段に話しやすい。少し慣れれば、手元の原稿を読まなくても、会場の盛り上がりに合わせて話を進められるでしょう。

さらに、書籍のタイトルを例文として書けるので、誰でも書きやすく、そのうえ、売れている本のタイトルを引き合いに出すので、それだけでちょっと話題になります。話しやすいということは、それだけで、スピーチがうまく見えますし、何よりもラクに話せます。

やることは、事前に数枚のメモをつくっておくだけ。それでプレゼンやスピーチが盛り上がるのですから、やらない手はないですね。

この「スピーチメモ」。ぜひ一度実践してみてください。

さて、ここまで3つの「つたメモ」をお話ししてきました。メモを使って、もっと伝わるようにする。その効果が少しでも伝えられれば幸いです。

未来メモは、すごいメモ

いかがでしたでしょうか？　14の「すごいメモ」の世界。

「まとメモ」「つくメモ」「つたメモ」それぞれに役割があり、しかも簡単に効果が生まれることを体験してもらえたかと思います。ご紹介した14のメモ術は、そのどれもが私の経験から生まれたメモ術であり、私を助けてくれた「未来メモ」たちです。

未来メモには、情報をまとめ、アイデアをつくり、人に伝える力があります。そして、仕事を楽しくし、効率を上げ、人の能力も覚醒する力があります。

たかがメモ、されど、すごいメモ。

未来メモを始めることは、人生にとって、ほんの小さな変化に見えるかもしれませんが、今後のあなたの仕事や人生を大きく変える力も持っています。

ぜひ、ここでお話しした未来メモを習得して、自分のすごい能力を大きく開いてください。14のメモ術が、あなたを新しい世界へと連れていきますように。

最後に、私の敬愛する小説家、伊坂幸太郎さんとのメモ談義を載せて、終わりにしたいと思います。

それでは最終章、「**たつメモ**」をご覧ください。

「メモで出世する方法②」

名刺メモしよう。

名刺は大切なもの。書き込みや折り曲げなどはやってはいけないこと……なのですが、**いただいた名刺に少しだけ書き込みをすると、とても大切な「話題ツール」になる**のです。

名刺をいただいたら、その場では大切にしまい込み、その後、そのときの話題やその人の特徴などを書き込んでおく。

その人と後日会うことになったら、その名刺を見ておき、その話題を出すと、相手は驚きつつ、評価してくれます。

その人とのストーリーがあることで、その方のことを覚えておくのにも役立つメモ術。

実は、刑事の方たちも、会った人を覚えておくために実践しているらしいですよ。ちょっと無礼なことではありますが、そこは目をつぶって、試してみるのはいかがでしょうか？

海川波男
サーフィン好き

第4章

たつメモ

達人のメモ術、拝見。

仕事ができる人は、自分流のメモ術を持っている。

ベストセラー作家は、メモに何を書いているのか？

私がこれまでに会った人の中で、「すごく仕事ができるな」と思った人は、必ずと言っていいほど「メモ」を使っていました。そしてその誰もが、それぞれの方法で、それぞれの仕事に役立つメモの取り方をされていました。

情報をまとめるためにメモを使う人。情報を取り出すためにメモを使う人。新しいアイデアを生むためにメモを使う人。はたまた、気持ちを落ち着かせるためにメモに思いを吐露する人や、映画のシーンをひたすら書き続ける人もいました。

メモの世界は、知れば知るほど奥深く、そして面白い。それぞれの個性に触れるたびに、メモの可能性の大きさを知りました。

さて、ここからは、私が大好きな作家であり、おともだちの伊坂幸太郎さんとの対談をお伝えしたいと思います。伊坂さんは、私が出会ったメモの達人の中でも、面白い「メモ」の使い方をしていた方です。「僕は、メモは取らないんですが、メモを使わないと小説が書けないんです……」と言う真意は何か？

伊坂さんのメモ術とその頭の中身を、少し覗いてみることにしましょう。

この対談は、2015年7月に行われたものです。

アイデアは、組み合わせでつくる

小西　伊坂さんとは長いお付き合いですが、こうして対談をするのは2回目です。ちょっと緊張しますが、どうぞよろしくお願いします。

伊坂　小説以外の取材はあまり受けないので、緊張しますね。よろしくお願いします。

小西　僕はコピーライター出身なのですが、実は僕の周りに伊坂ファンが多い。それはもうたくさんいます。ご存じでしたか？

伊坂　いえ……そうなんですか？

小西　伊坂さんが書かれている本の中には、うなるほど面白い言葉のアイデアがいっぱいあるからだと思うんです。僕が好きなのは『オーデュボンの祈り』に出てくる一節。夜景についての言及ですが、一切光のない夜の景色をさして「これが本当の夜景だ」と言う。正直、そうか！　たしかにそうか！　と思っちゃいました。それと同様に、言葉のアイデアや登場人物のキャラクターのセリフに「すごいなあ」と思うものがある。どれもが「ため息級のすごさ」だからだと思うんです。

伊坂　それは言い過ぎです（笑）。恥ずかしいです。

小西　そこで本日は、そういう言葉のアイデアや小説のプロットなどをどうして思いつくのか？　あの複雑な人間関係をどうして整理しているのかなど、アイデアづくりに関わることをお話いただきたいと思うんです。

伊坂　はい、よろしくお願いします。

小西　ここに『アイデアのつくり方』という本があるのですが、ご存じでしたか？

伊坂　いえ、知らないです。面白そうですね。

小西　ジェームス・W・ヤングっていう方の書籍で、アイデアに関する本の中でもバイブル的な存在です。この中で「アイデアとは既存の要素の新しい組み合わせ以外の何ものでもない」という一節があるんです。これに僕はとてもしっくりきたというか。アイデアってそうだよなって思ったんですけど。

伊坂　あぁ、やっぱそれでいいんですか。僕そうなんですよ、あぁそうなんですか。

小西　伊坂さんも、やっぱりそうなんだ。

伊坂　**僕はすべて組み合わせなんですよ。**『死神の精度』が死神とミュージックストアの試聴とか、やっぱり何かと何かの組み合わせを探している感じです。そこから自分なりのオリジナリティを生んでいるというか。でもそうなんですね。みんなも組み合わせなんだ。

小西　そうみたいです。実は僕も組み合わせでアイデアをつくるんです。とんでもないものとんでもないものの組み合わせ。そういう意味では、伊坂さんと同様、組み合わせからオリジナリティを生むんです。ところで僕は、その組み合わせにメモを使うのですが、伊坂さんはどうやって組み合わせるんですか？

伊坂　僕は基本メモを取らないんですよ。ただ、いつもこんなノートを持ち歩いていて。

小西　メモは取らないけど、メモは持ち歩くんですね（笑）。

伊坂　メモは、アイデアをまとめるときに使うんですよ。

まず頭の中にある場面をメモする

伊坂　僕の小説って、よく「キャラクターがいい」と言っていただけるんですけど、キャラクター設定から始めたことはないんです。興味がないんですよ、小説を書くときには。

小西　意外です。そうなんですね。

伊坂　だから「キャラクターが魅力的ですね」って言われると嬉しいんですけど、とくに自分では意識していないところもあって、小説の構想自体はキャラクターからは入らない。たとえばそうですね、ギャング（『陽気なギャングが地球を回す』）に成瀬っていう登場人物がいるんですけど。そのときは、まず最初に「成瀬」ってメモするんです。でそのときに、公務員とかそういうのは一切決めてないんです。いろんな登場人物表を書かれる人もいるみたいなんですが、僕はそういうのは書かない。書き始めたときにはそういうのが全く興味ないんですよね。大事なのは物語とか構造なので、登場人物からストーリーはつくらないので。

小西　何から書き始めるんですか？

伊坂　ほんとこういう……場面っていうか、**人の関係図**というか、いや人物相関図とも違って、何て言うのかなここでやってみると……（左ページのメモを描き始める）。

小西　これすごいなぁ。

伊坂　いや、ぜんぜんすごくないです。なんか恥ずかしいですが……、たとえば今度、「殺し屋シリーズ」を書かないといけないんですよ。いま、執筆がギリギリで結構やばいんですけど（笑）。で、そのときにはまずタイトルから書くんですよね。それはすでに『ドライブ』っていうタイトルが決まっているので、ドライブと書いて、その後、この話ってどんな感じだろうな……って考える。

小西　どういう話なんですか？

伊坂　タイトルからすると（笑）、車のロードムービーの話になりそうなんですよね。殺し屋の家族旅行なのかな。家族でどこかにドライブに行くというところまでは決まっているんですよ。それで何人かの人たちがこのクルマに関係してくる。なので、ここにその敵がいる……と。ミヤケっていう主人公がいて、そのクルマには奥さんと子どもがいて……と、こういう感じで人物を組んでいくんです。

小西　頭の中をメモするんだ！

伊坂　そうそう、そういう意味では何を書きたいかという頭の中を一度全部書いていくん

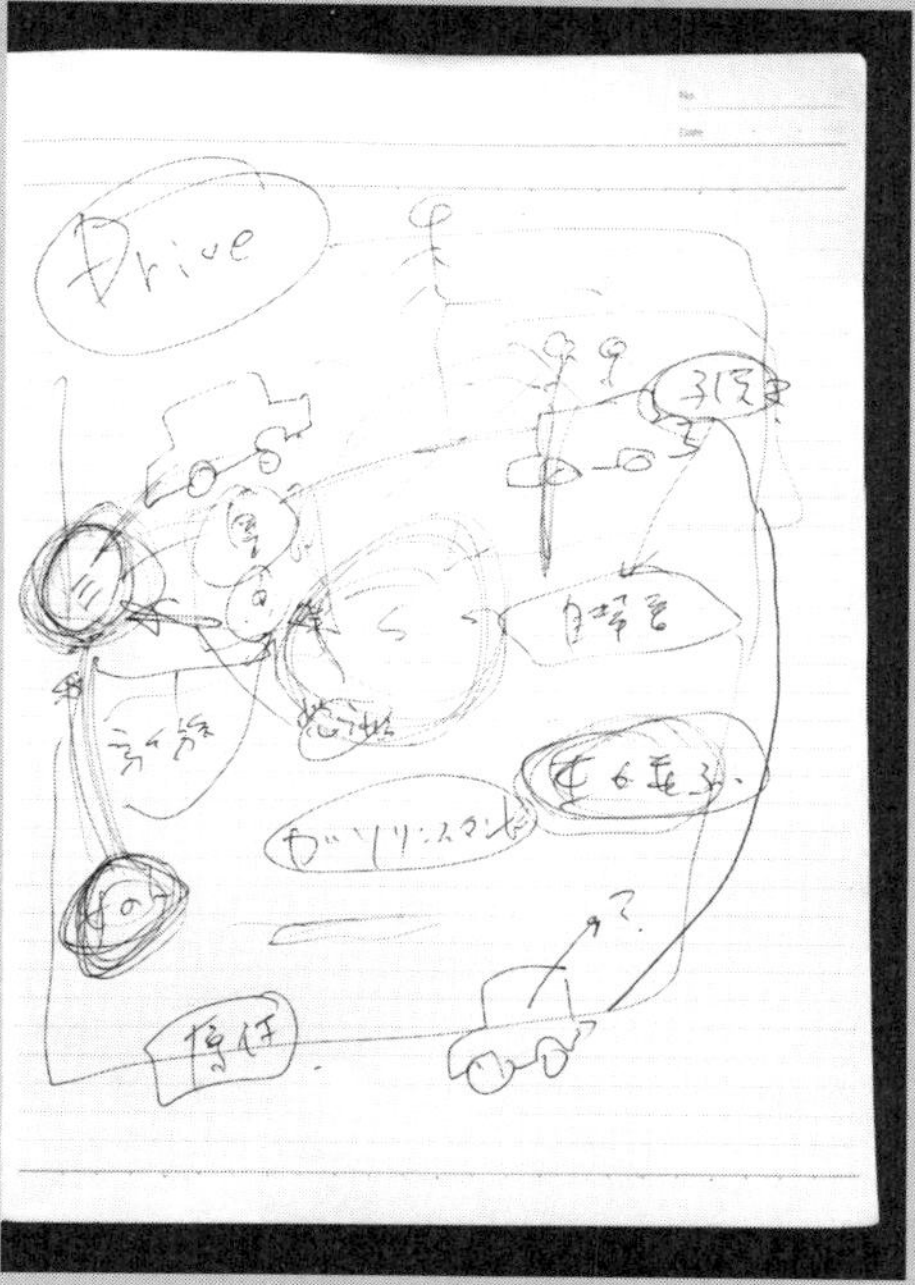

ですよね。こんな風に。で、この2人の殺し屋が、たとえば、子どもを連れているといいかな、と。あ、子どもじゃなくてもいいかな? じゃあクエスチョン「?」と書いて……。

小西　やっぱり記号も使う感じですよね。こうしてでき上がるのか……。

伊坂　この登場人物はなんかの目撃者で、しかたなく連れていかれるんだよなぁとか。こう自分の書きたいところをまとめていくんですよね。今、メモしながらしゃべってて思いましたけど、なんかここにさらに別の誰かが必要ですね。誰か、関わってくる人が。きっと、この殺し屋というのはもともと家族には殺し屋のことを教えてないんですよ。だから普通の家族ドライブだと思ってる。しかもこの殺し屋は恐妻家で、奥さんにバレないように、ただ単にドライブをしてるんだけど。

小西　こっちも殺し屋なんですね。

伊坂　ミヤケはきっと家族旅行で「仕事がやりたくない」と言うから、それをやらせるためにもうひとり乗ってくるとか？　女の人かなぁ。そいつも殺し屋で、ミヤケを監視してる。でも奥さんからすると不自然だから、浮気してるんじゃないかと怒られるみたいな……。

小西　いやあ……そうやってアイデアをどんどんまとめていくんですね。

伊坂　ただこれだけだとたぶん、すごくしっちゃかめっちゃかになるから、「たぶんここの人とここの人が一緒になるね」とか「この人いらないね」とか、そういう風に整理していくのかな。

メモしていくと、書きたい場面が整理される

小西　これって、伊坂さんが本を書くときに最初にやるんですか？

伊坂　一番最初、イメージを膨らませているときは頭の中で考えますね。それを、編集者と一緒に話しながらつくっていく。まだ話は詰まってないけど「こんなのいいね」って。それでたとえば、車で移動してるんだったら、ガソリンスタンドも使えるねとか。あとは、隣に別の車が停まるとだいたい撃たれそうな気がするじゃないですか（笑）。**あのシーンやりたいなというのが出てくるんですよ。そういう描きたい場面がいろいろ頭にある。それを書く直前になって、どうつなげて、どうしていくかを考えながらメモする。**こういう名前の人がいて、ここにボクサーがいて、ここがこうなんだよなとかって、頭の整理をす

る。これはいつも確実にやるんですよね。

小西　つくるための頭の整理なんですね。僕もそれは大事にしてて、メモを使って考えることを整理して、アイデアをつくるためのきっかけにしてます。頭の中の整理と、これから生み出すものの土台って感じです。

伊坂　物語を書こうとするときに、最初どの場面から始めようって考えるわけですけど、そのときにたぶんこのメモが活きてくると思うんですよね。まずここから書くかもしれないしとか、ここから書くかもしれないしとか。そういうのを想像するときにも役立つんですよね。

小西　なるほど。アイデアのとっかかりになってるってことですね。ほんとに頭の中にアイデアを一度、定着させるというか、スケッチしているということですか。

伊坂　そうですね。文章じゃなくて図なんですよね。アイデアのスケッチ。全体を大まかにつなげてみるって感じです。あらすじとは違うんです。アイデアのスケッチ。この人はたぶんバイクに乗っているほうがいい。きっと盗んでるなとか。僕もよくわからないですが、**要するに将来的に書かなきゃいけない場面を想像して書いているのかな。**

小西　それって、なんか、儀式的な感じですか？

伊坂　儀式というよりはもっと現実的で、やっぱり**これを介さないで書き始めるのはできないんですよね。**頭の中を一回書かないといけないんですよ。頭の中のものは常に、消えていっちゃうから。だからさっきの話だと、ガソリンスタンドがあって、ここに車が並ぶとか、バイクが盗まれているとか、謎の女性が乗ってくるとか……書きたいものを書くんですよね。

小西　書きたいことをどんどんメモしていく。

伊坂　そうです、そうです。書きたい場面なのか、要素なのか。とにかく書きたいことを書いていって、それをつなげていく。この子どもが逃げて、別の車に助けてもらうというのを書きたい。でも車が足りない。じゃあ別の車を入れようねって。

小西　その場で物語をつくっていくんですね。

伊坂　そうですね。じゃあ、ここにもう一台原付きを入れても面白い。それに乗ってる奴は変な一般人なのか、殺し屋なのか？　どっちでも面白い。でも、そうだな、好奇心旺盛な太ってる……。

小西　邪魔臭いヤツ！（笑）

伊坂　そうそう！　でもその人が、意外と活躍したら面白い。そうなると、彼はどこで関わるのかな？　最初は出てこないとして……小説はやっぱりミヤケの家から始まるのかなとか？　そういうあらすじにもならないことを、ずっと書いてるだけです。

小西　これって、書き始めだけですか？

伊坂　いや、煮詰まったときもやりますね。今はまだふわっとしてるけど、もう少し具体的になって困ることがあるんです。ヒーローはどうやって脱出するのかとか、そこで何が起こると面白いのかとか。そういう議題ができたら、また編集者としゃべりながら、このメモをやるんです。

小西　最初のプロットのときと同じく、こうしてアイデアをメモしていくんですね？

伊坂　そうなんです。でも最終的にそのシーンが出てこないこともあるんですよ。でも書いておいてソンはない。他のアイデアになったりするんです。

小西　要素になるのですか……。ところで、さっきは、書かなきゃいけないことと、書きたい場面みたいなのを書いていくということでしたが、これってあらすじとは違うし、シーンとも違うんですね。

伊坂　そうなんですよね、要素なんですよね。書きたい要素。いらない要素もすごいあるんですよ、いらないけど書きたいと思うこともあるし。たとえば『マリアビートル』っていう新幹線の話を書いたときには、車両にある電光掲示のメッセージが使いたくて……。でもストーリーに必要ない。というかそんな場面は基本的に使えなかった。だからそれなしで一回完成したんですけど、やっぱり入れたいと思って（笑）。

小西　入れたんですね。

伊坂　はい。**最初のメモに「電光掲示」って書いてあって**。それを見返して、完成したものに、やはりこれをねじ込んだってわけなんです（笑）。

メモしてから歩くと、脳が活性化する

小西　ところで、どんなときにアイデアが閃いたりするんですか？

伊坂　そうですね、**9割くらいのアイデアが歩いているときにいろいろつながっているんですよ**。音楽を聴いて歩いているときに、あぁこれ、この場面はこうしようって閃くんです。それで、ある教授に、「歩くことと脳の活性化って関係あるような気がするんです」って聞いたら、「いや、関係ないです」って（笑）。

小西　ええ……？　結構あると思うんですけど。

伊坂　ただそれをよく聞いたら、要するに測定ができないからわかってないだけらしいんですよ。でもその教授から「**伊坂さんにとって大事なのは、メモを取ったうえで歩いていることなんですよ**」と言われました。「最初にそれをやっていると、頭にあるから、歩いているときにつながるんですよ」と。で、あっそうなんだって思ったんです。

小西　それは、すごいメモの効果ですね。ところで、カラダを動かしたり、手を動かすことによって、集中力みたいなものが出るとか、そういうことってありますか？

伊坂　さっきの教授には否定されそうだけど（笑）、手を動かすことは考えるためには大事なんですよね。パソコンでもよさそうだけど、**メモするんだったら、手書きじゃないとダメって思ってます**。幻想かもしれないですけどね。手書き幻想（笑）。

小西　いや、絶対何か効果があると思います。

伊坂　ありますよね。脳がどう働くのかはわからないですけど。手で書いてるときは書いてるリズムで、歩いているときは歩いているリズムで思い浮かぶ。

小西　歩いているときって、座っているときより、目の前に情報がいっぱい流れてて、いろんなものを見ているから。刺激されるんだと思います。

伊坂　そうですよね。僕はさらに音楽も聴いてるので、それも刺激になってると思います。で、そのときに頭の中で生まれるのが、だいたい何かの組み合わせなんですよ。当然まとめるときも、最初はどうしようかな、ああしようかなってなるんですけど、**何かぴかっとくるときは、「あっ、これとこれとを組み合わせよう」と思う。僕のパターンって全部、組み合わせなんですよね**。『ゴールデンスランバー』だったら、「ケネディ暗殺と逃亡者」とか、ああいうのと、自分の作風を組み合わせたくなっただけですし、殺し屋と新幹線、死神と復讐劇とか、そういうのが最初なんです。でもその組み合わせが普通すぎても、真逆すぎてもベタだったりするじゃないですか。「月とすっぽん」じゃないけど、微妙なズレ具合が好きなんですよね。僕の個性があるとしたらその組み合わせ具合かな。

小西　離れれば離れるほど、やっぱりへんてこな組み合わせが生まれる。それがストンとはまって面白くなったときはすごく気持ちがいいですものね。

「タイトル」を決めてからでないと、物語は書けない

小西　ところでタイトルも組み合わせですか？

伊坂　はい。タイトルも組み合わせですね。「重力とピエロ」とか。「アヒルと鴨とコインロッカー」とか。どこかしっくりするのを求めてすごく考えます。僕はタイトルが思いつかないと書けないんで。

小西　へえ、最初からタイトルを付けるんですか？　物語が進んでから付けるんじゃないんだ。

伊坂　基本的には書き始めのときにないと、書く気が起きないです。短編とかでも。いま『陽気なギャング』の3作目を書いているのですが、実は、タイトルで最近まで悩んでいました。あのタイトルにはルールがあるんです。『陽気なギャングが地球を回す』『陽気なギャングの日常と襲撃』、のように「陽気なギャング」の後に助詞が付いて、その後に五文字という（笑）。「陽気なギャングが厄年に復活」という案になりかけていたんですけど（笑）。さすがにちょっと違う気もして。それに加えて、今度は3作目なので「3」を使いたいなと思ったんです。これが何作目かわかるほうがいいなと思って。

小西　（笑）なるほど。

伊坂　「三文の徳」みたいなのがいいなと思ったんですけど、それ以外に思い浮かばなく

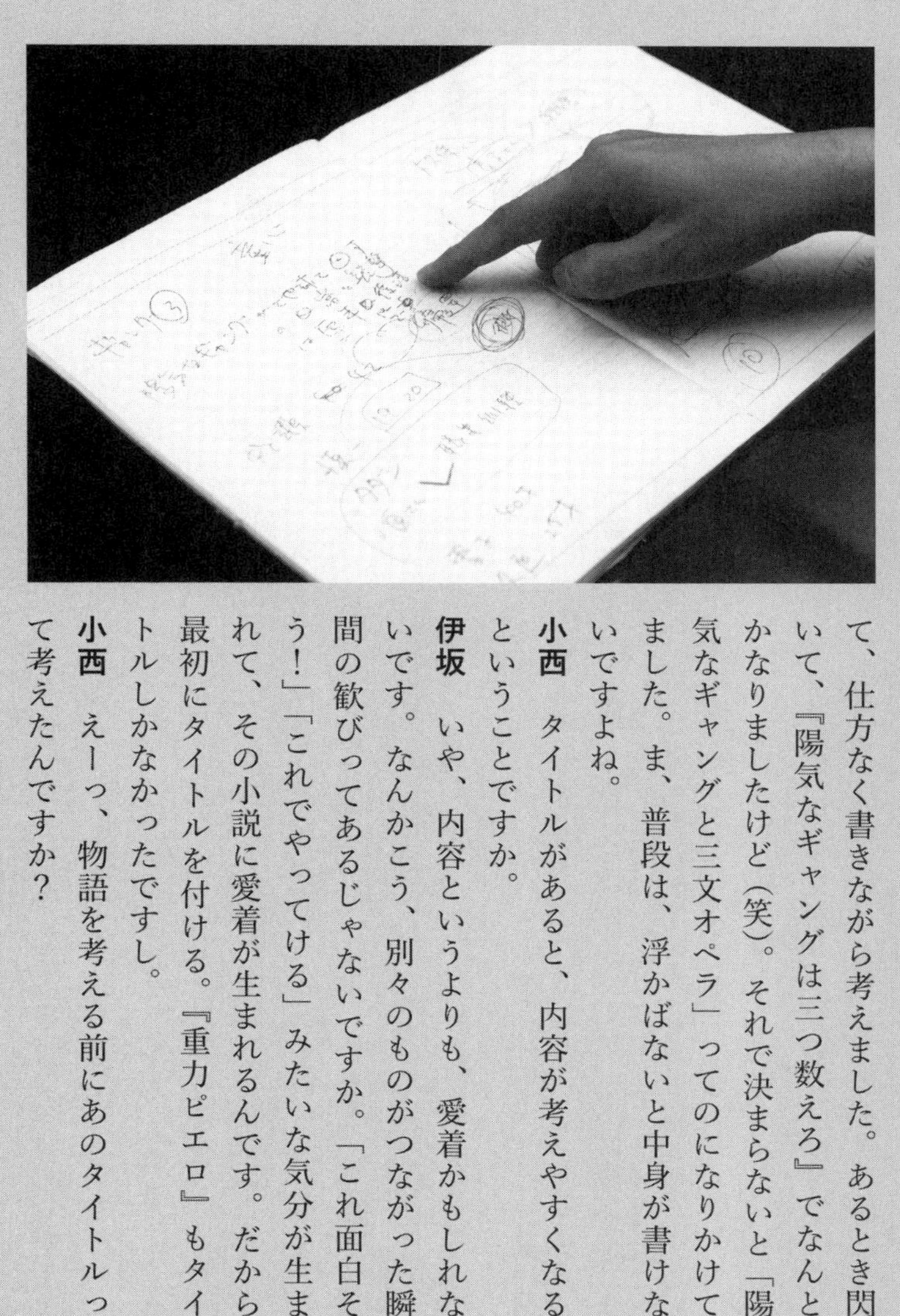

て、仕方なく書きながら考えました。あるとき閃いて、『陽気なギャングは三つ数えろ』でなんとかなりましたけど（笑）。それで決まらないと「陽気なギャングと三文オペラ」ってのになりかけてました。ま、普段は、浮かばないと中身が書けないですよね。

小西　タイトルがあると、内容が考えやすくなるということですか。

伊坂　いや、内容というよりも、愛着かもしれないです。なんかこう、別々のものがつながった瞬間の歓びってあるじゃないですか。「これ面白そう！」「これでやってける」みたいな気分が生まれて、その小説に愛着が生まれるんです。だから最初にタイトルを付ける。『重力ピエロ』もタイトルしかなかったですし。

小西　えーっ、物語を考える前にあのタイトルって考えたんですか？

伊坂　はい。当時は僕、ほぼ売れてなかったから、どうしたら手に取ってもらえるかなと思ったんですよ。それで自分ならなんていうタイトルの本があったら手に取るかなということだけを考えたんです。『アヒルと鴨のコインロッカー』もそうなんですけれど、「なんだろう？」って思わせたかったんです。『重力ピエロ』って思いついたときには「おおいいぞ！」って歓びました。

「文字で書く」のか「絵で描く」のか

小西　伊坂さんのメモを見てると、矢印のような「記号」とかイラストのスケッチも描いてますよね？

伊坂　**絵は描きますね**。たとえば、エレベーターのシーンを書こうとしたら、こうして、エレベーターの絵を描いて、「矢印」も描く。そのほうが「エレベーターを操作する」ことがイメージしやすいし、その場で起こることも想像しやすい。

小西　たしかに。「エレベーターを操作する」って書くより、こうして「エレベーター」の絵を描いて「↑」とか「↓」の矢印を描いてあるほうが、状況がイメージしやすいですね。

伊坂　僕は覚えているためにメモするわけじゃなくて、アイデアを生むためだから、そのときに何かイメージできればいい。だから言葉で「エレベーター」って書くよりは、こう

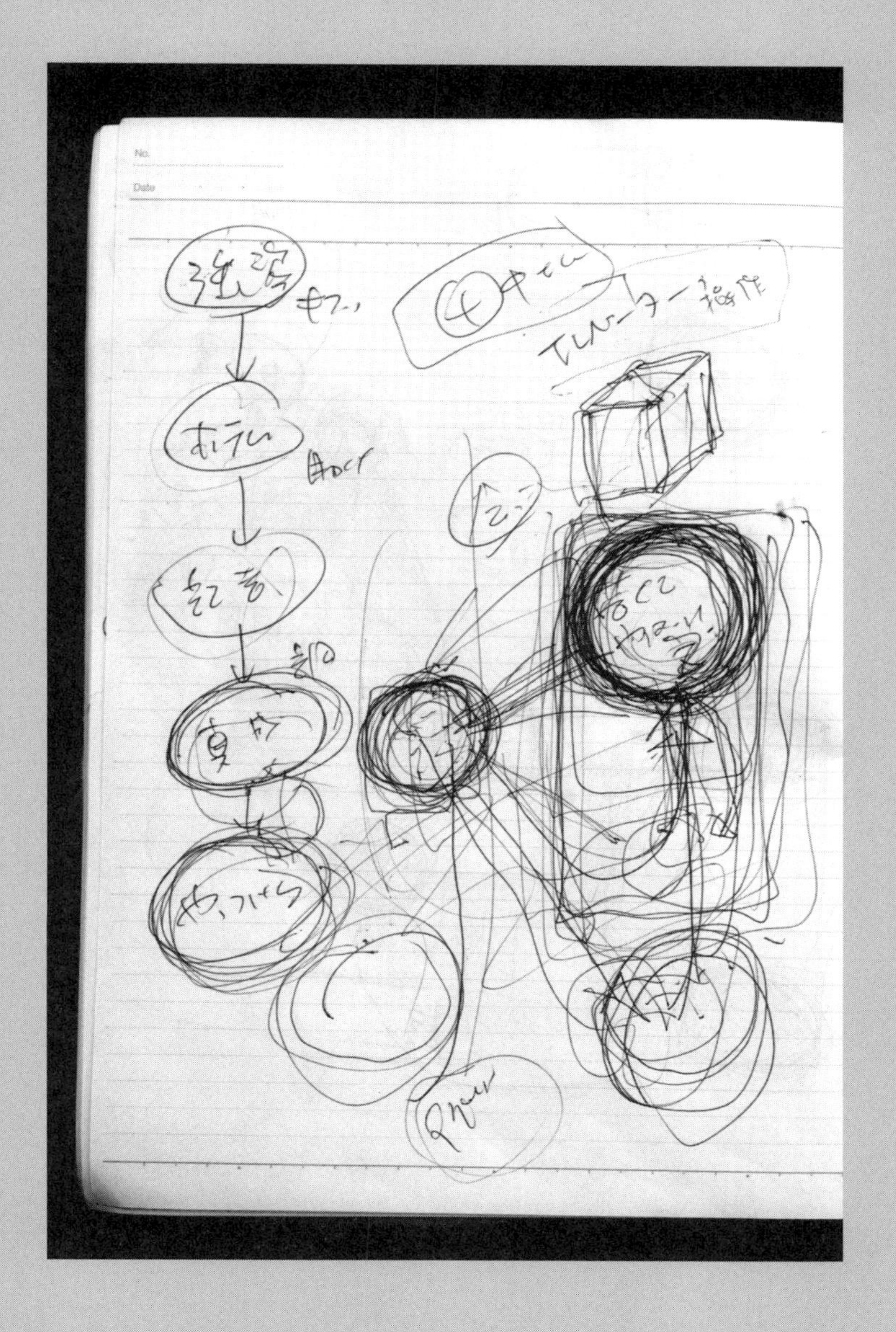
エレベーター操作

して「エレベーターがさあ」と言いながら絵を描いたほうがどんどんイメージを進めていけるんです。同じように、「○」**とか**「△」**とかこういう矢印は僕はすごく大事なんです。**

小西　僕もすごく矢印は使います。

伊坂　アイデアを整理するためなんでしょうね。

小西　なぜか、カタカナでエレベーターって書くより箱のイメージを描いたほうがいろいろ想像しやすくなるんですよね。

伊坂　僕、島田荘司さんがすごく好きなんですけど、島田さんはすごく空間を使ったトリックを思いつかれるんですけど、それはやっぱり、自分が美大を出て、絵を描いているからじゃないか、とどこかで述べていました。頭の中で考えるよりも絵で考えたほうがいいようですね。

小西　リアリティが出るんですかね。なんかこれおかしいな、この動きは変だろうとか。

伊坂　違う発想が出てきたりしますね。**高さとか、距離を想像できると、こっちに隠れていられるじゃんとか、ここに人が入るな……とか。**

小西　なるほど。実際に描くと新しい発想が生まれるんですね。

「伊坂幸太郎」というレンジは広い

小西　ところで「伊坂幸太郎」ってレンジ（範囲）が広いですよね。いろんなことにチャレンジしてる。マンガとコラボとか純文学との共作とか、いろいろなタイプの小説があって、しかもぜんぶ面白い。

伊坂　そう思いたいんですけど。小西さんみたいに言ってくれる人っていないんですよね。

小西　いや、言ってくれないのは知らないだけなんじゃないですか（笑）。

伊坂　いや、「もっと褒めていいんだよ」っていう風に編集者に言うんですけど。

小西　僕からもその編集の人に言っておきます。では、本日は長らくありがとうございました。たくさんのメモとか見られて、すごく興味深かったです。これからも、メモを使いながら、面白い小説を書いてください。いちファンとして、心からお願いします。

伊坂　ありがとうございます。今の激励もメモしながら頑張ります（笑）。小西さんの「メモの本」。できたら読みます。小説にも活かせれば嬉しいです。

小西　送ります。ありがとうございました。

撮影：村岡栄治

おわりに

逃げ出したくなるときに、メモはいつも助けてくれる。

私はよく思います。
考えるのが苦しい。私よりもできる人がいるはずだ。誰かやってくれ。眠い。時間がない。締め切りが迫っている。いいアイデアが出ない。期待を下回れない。苦しい。まだできない。もう、逃げ出したい。

でも、たとえどんなときも、結局は逃げられない。
なんとかして、結果を残さなければいけない。
そんな辛い思いをしながら日々暮らしていくわけです。
プロとはそういうもので、ビジネスとはそういうもの。
お金をもらうとは、きっとそういうもの。

そしてこの本を読んだみなさんも、そんな苦しい思いをして、日々仕事をされているんだと思います。

でも私はいつも、本当に思っているんです。メモが仕事を救ってくれると。

私は、これまでにも何度か、本当に逃げ出したいと思ったときに、メモに救われました。メモは、仕事のスピードが追いつかないときに、即座に考え始められるスピードをくれました。いきなりみんなの前で話さなければならなくなったときにも、メモは考える余裕と答えをくれました。

メモは、まったくアイデアが出ないときに、過去のアイデアとの再会をさせてくれたし、チームの若い人が苦しい思いをしているときにも、その人たちに、アイデアを生む力を与えてくれました。

「今の私は、メモでできている」と、「はじめに」で書きましたが、それは本当のことだと思います。私は、メモで仕事の効率が上がり、そして精度も上がった。いま私があるのはメモのお陰です。

実は、この本は、まったく考えられないで困っている若い人を見たときに、書こうと決意しました。自分が若いときに、偶然に見た「メモ」に救われたように。もし偶然にこの本を読んだ人が、同じように救われるかもしれないと思ったからです。

だから、この本には、私のメソッドのすべてを惜しみなく入れました。
メモだけじゃなく、考え方やアイデアの出し方も、網羅しました。
だからこそ、この本を読んで、ぜひ、仕事の効率を上げて欲しいです。
私の思いが伝わることを願っています。

未来メモが、みなさんの未来をつくりますように。

2016年1月　小西利行

この本の執筆にあたり、多大なる尽力、アドバイスをいただいた皆さん。

作家の伊坂幸太郎さん、イオンの坂本潤さん、サントリーの和田龍夫さん、博報堂ケトルの木村健太郎さん、アートディレクターの秋山具義さん、金子敦さん、金子泰子さん、九十九島大学の皆さん、佐世保市役所の皆さん、佐世保観光コンベンションセンターの皆さん、宣伝会議の皆さん、「告↓広」の概念を一緒に生み出した石川淳哉さん、森本千絵さん、ワークショップ「BUKATSUDO」にて三角メモのアイデア開発に参加してくれた皆さん（武田真明さん、小野田純也さん、黒田千穂さん、瀧澤有希子さん、高山達哉さん、八幡清信さん、荒木直行さん、平野あゆみさん、masahito koizumiさん、関川明美さん、山田健太郎さん、馬場健太郎さん、木原純子さん、大川雅生さん、伊藤由弥子さん、坂本幸太郎さん、川島史さん）、ＰＬＡＺＡの皆さん、飯島広昭さん、小林麻衣子さん、大垣裕美さん。そして、前著から引き続き、デザインと装丁をしてくれた宮内賢治さん、イラストを書いてくれた加納徳博さん、なかなか書けない筆者を諦めずに激励し続けてくれた編集者の米田寛司さんに、大きな感謝を。

皆さんがいなければ、この本はできあがりませんでした。本当にありがとうございました。

参考文献：『アイデアのつくり方』ジェームス・W・ヤング

ブラック三角メモ 137

不平不満から「隠れニーズ」を生み出す最強の三角形

ホワイト三角メモ 149

１時間で１００のアイデアを生み出せる究極の三角形

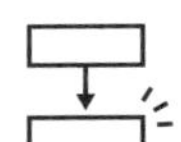

つなぎメモ 164

こんがらがった情報から答えが見つかる、そのままプレゼンできる

あまのじゃくメモ 174

逆から考えて強いアイデアを生み出す、イタズラ思考術

『見出し』メモ 190

たった１秒で読みたい情報をつくる。人に伝わるメモ術

ズメモ 198

３つのズで、難しい情報もすっきり伝わる。バッチリわかる

スピーチメモ 216

書籍タイトルでスピーチがうまくなる、驚きのメモ術

「すごいメモ。」 メソッド索引

3つの「○」 47

最もシンプルで強力。大切な気づきを与えてくれる小さな記号

矢印「→」 58

バラバラの情報に秩序を生み出す、超すっきり整理術

記号 70

たった3秒で、仕事の効率を3倍にする5つの武器

吹き出し 80

考えるスピードをグッと早める、考え方のレシピ

デジメモ検索 89

欲しい情報にたどり着く、必要なアイデアに出会えるメモ術

ハードルメモ 103

課題を生み出し、アイデアを生み出す、思考のハードル

マンガメモ 120

ビジュアルとセリフで、アイデアのゴールをつくるメソッド

【著者紹介】
小西　利行（こにし・としゆき）
◉――POOL inc.代表／コピーライター／クリエイティブ・ディレクター／劇作家／絵本作家。
◉――1968年生まれ。京都府出身。大阪大学卒業後、1993年に株式会社博報堂入社。2006年に独立し、POOL inc.を設立。「伝わる言葉」を掲げ、CM制作から商品開発、都市開発までを手がける。
◉――主な仕事に、サントリー「伊右衛門」「ザ・プレミアム・モルツ」、TOYOTA「もっとよくしよう」、ライザップ、PlayStation4「できないことが、できるって、最高だ」キャンペーンなど。また新商品開発にも多数携わり、ハウス「こくまろカレー」や「伊右衛門」、ザ・プレミアム・モルツ「マスタードリーム」、ロート製薬「SUGAO」などのヒット商品を量産。数々の店舗、商業ビルなどのプロデュースも行ない、2008年「イオンレイクタウン」のクリエイティブ・ディレクションで、国際SC協会世界大会にて日本初となる「サステナブルデザインアワード」最高賞を受賞。「一風堂」国内＆世界戦略プロデュース、吉野家、バーニーズ・ニューヨークなどのブランディングを手がけている。CLIO、ONE SHOWなどの海外広告賞を多数受賞。著書に、『伝わっているか？』（宣伝会議）がある。
◉――本書は、著者がこれまでの二十数年間のキャリアのなかで培い、現在の仕事を支えている「メモ術」についてまとめた１冊。

すごいメモ。　〈検印廃止〉

2016年１月18日　第１刷発行
2016年２月18日　第３刷発行

著　者――小西　利行©
発行者――齊藤　龍男
発行所――株式会社かんき出版
東京都千代田区麹町4-1-4 西脇ビル　〒102-0083
電話　営業部：03(3262)8011㈹　編集部：03(3262)8012㈹
FAX　03(3234)4421　振替　00100-2-62304
http://www.kanki-pub.co.jp/

印刷所――シナノ書籍印刷株式会社

ISBN978-4-7612-7142-8 C0030